LE FABULEUX DESTIN
DE MALTE

Le Cow-boy et Le Pasteur, Hermé, 1992.
Nègre blanc, Hatier International, 2002.
Histoire d'un Palestinien, Maisonneuve et Larose, 2003.
Malte tricolore, Midseabooks Ltd., Malte, 2005.

DIDIER DESTREMAU

LE FABULEUX DESTIN DE MALTE

Collection dirigée
par Vladimir Fédorovski

© Éditions du Rocher, 2006.

ISBN 2-268-05563-9

REMERCIEMENTS

À ceux et celles qui ont bien voulu lire attentivement les textes que je leur ai soumis et qui ont émis des réserves, des suggestions et des critiques positives qui m'ont tant aidé à façonner au mieux cet ouvrage. Et principalement à mon épouse Anne.

PRÉAMBULE

Le ferry-boat venait de franchir la passe, négociant avec grâce l'entrée en baïonnette entre le brise-lames et le fort Ricasoli. La veille au soir, dans la ruche qu'est le port sicilien de Catane, il avait avalé comme un ogre vorace des dizaines d'énormes camions, des engins de travaux publics et quelques voitures particulières dont ma modeste Torpédo qui paraissait minuscule aux côtés de ces titans.

Dans la salle commune du navire, un grand hall froid et sans âme, les chauffeurs des véhicules tuaient le temps en buvant force bières, parlant haut et jetant par instants un regard peu amène sur l'écran de télévision qui débitait les fadaises d'un jeu italien débile. La traversée de nuit dans le détroit de Sicile s'annonçait agitée et peu agréable, car la mer en ce début de novembre se montre plutôt inclémente, et j'étais allé me coucher dans une des rares cabines prévues sur ce bateau conçu pour de courtes traversées.

Mais si le sommeil ne fut pas au rendez-vous, comme espéré, ce fut moins à cause des coups de roulis et du tangage lancinant qui sont le propre de ces engins à fond plat et peu marins qu'en raison d'une inhabituelle concentration qui me maintenait éveillé. Je parvenais en effet à l'orée de la dernière ligne droite de ma carrière diplomatique qui n'en avait comporté que fort peu d'ailleurs, et, malin, mon subconscient, qui ne pouvait l'ignorer, avait vraisemblablement décidé d'en jouer. Un kaléi-doscope débridé et étrange défila dans mon esprit. Se succédè-rent sans queue ni tête ni ordre chronologique des séquences de vie passée. Le choix des scènes du film semblait totalement aléatoire. Ce fut la traversée du golfe Arabo-Persique sur un boutre désemparé et dérivant pendant trois jours qui ouvrit le bal, suivie immédiatement par la tempête subie dans une pirogue à la frontière tanzanienne. Orchestrant le jeu, au seuil de la conscience, le lutin malicieux sélectionna ensuite un voyage terrestre idyllique le long de l'Euphrate au nord de l'Irak. Pourquoi ?

Je tentais en vain d'endiguer ce flot de souvenirs. Cette machine qui s'emballait devait admettre qu'il me fallait faire bonne figure le lendemain pour ce nouvel épisode de ma carrière. Las ! Plus je voulais commander et mettre un terme à ce déferlement, plus, indocile, elle renâclait, et je dus, impuis-sant, me résoudre à subir... Alors affluent dans le plus incroyable désordre une charge à cheval en Algérie avec un saut improbable au-dessus d'une faille impressionnante, les onze rançonnages consécutifs de notre escorte par des hommes armés en Syrie pour nous laisser quasiment nus, une geôle de la caserne des zouaves à Alger, où je tournais d'impa-tience et rongeais mon frein alors que, pendant ce temps, mes compagnons d'escadron continuaient à courir les Aurès et à accumuler les succès contre les rebelles.

Certains de ces flash-backs amenaient probablement un sourire à mes lèvres dans ce demi-sommeil, alors que d'autres me donnaient le frisson : des émeutes dans une petite ville algérienne en 1962 et les Français ensanglantés que je hissais dans ma jeep et, réplique macabre, la vision de mineurs euro-péens de Kolwezi égorgés eux aussi, dans le sang desquels on enfonçait jusqu'aux chevilles...

Cependant cette veille incongrue parut se cristalliser plus longuement sur un épisode précis. Désigné pour un poste en Afrique, j'avais été retenu pour « m'occuper » des otages kidnappés à Beyrouth en 1985, c'est-à-dire être le trait d'union avec leurs familles folles d'inquiétude et tenter de dénouer, au titre du ministère des Affaires étrangères, les fils emmêlés menant vers les ravisseurs.

J'approchais des gens de l'ombre qui, pour certains envoyés des groupes islamiques radicaux, pouvaient influer sur les décisions prises dans de multiples et lointains cénacles. Leurs visages, parfois durs et implacables défilèrent devant mes yeux clos alors que, par bribes, des conversations passées résonnaient à mes oreilles : la France et l'Occident accusés de turpitudes, de trahisons, de recherche effrénée d'intérêts à court terme,... et les otages innocents payaient, comme toujours...

Les bombes explosaient dans Paris. Avec la « guerre des ambassades » déclenchée par l'Iran, la tension était extrême.

Et les coups avaient plu, imprévisibles. Avais-je souffert de trébucher dans cette lutte avec coups bas entre ministères « adverses » ? Probablement oui, si j'analyse les motifs de cette évocation insistante de faits remisés dans les archives...

J'avais cru alors ma dernière heure diplomatique sonnée.

Eh bien non ! Quelqu'un là-haut, assisté d'acolytes dévoués en bas – des justes –, en avait décidé autrement. Et, presque vingt ans plus tard, je voguais vers mon dernier poste, après en avoir obtenu une kyrielle qui m'avaient tous totalement comblé.

Quelques instants de sommeil m'avaient sans doute été accordés, mais lorsqu'au lever du jour, un matelot vint frapper à la porte pour m'avertir que la terre était en vue, j'émergeai épuisé de ces réminiscences involontaires. La brise humide du matin eut vite fait de rafraîchir mon teint barbouillé...

Dans l'aube grisâtre se distinguait en effet une étroite bande linéaire et basse encore assez lointaine que me désignait le capitaine croate qui, compte tenu des fonctions que j'allais occuper, m'avait invité à le rejoindre sur la passerelle.

Accompagnant notre approche, le soleil se levait, d'abord timidement puis plus franchement, et il était éclatant lorsque nous pûmes distinguer nettement les premières constructions, mais surtout, objets de mes attentions, les fortifications encerclant le Grand Port.

Toutefois, ce n'est que lorsque le navire pénétra dans la splendide rade que, bouche bée d'admiration, nous fûmes saisis par l'irrésistible magnificence du spectacle offert : à notre droite défilait lentement, comme avec l'ostentation d'une jolie femme qui se sait observée, La Valette, enserrée dans ses murailles d'autant plus ocre jaune que les rayons du soleil nous faisaient le présent de les illuminer. Les petites maisons de pêcheurs aux toits et aux murs colorés, blotties à l'abri de ces immenses parois, témoignaient du paradoxe de l'insignifiante dimension de l'être humain en regard de ce qu'il a construit.

À gauche, les forts Rinella et Ricasoli, la petite crique de Kalkara puis le magnifique fort Saint-Ange qui nous recouvrit de son ombre lorsque, humblement, nous glissâmes silencieusement à ses pieds. Pendant ce temps, de l'autre côté, les quais de Pinto avec les entrepôts aussi beaux que des palais construits par les chevaliers, le bastion puissant et presque aveugle protégeant, au ras des flots, l'entrée de La Valette, puis les fortifications de Floriana se laissaient dépasser. L'eau calme et claire du port n'était brouillée que par le sillage de deux *fregatinas*, ces effilées et élégantes gondoles locales qui passaient d'une rive à l'autre propulsées par deux hommes maniant, debout, tournés vers l'avant, de grands avirons qui, en trévirant, laissaient tomber des gouttes d'argent.

Le capitaine négocia superbement son demi-tour afin de présenter sa proue à l'entrée du port en vue d'un appareillage prochain. À ce moment apparut l'auberge de Castille dominant l'ensemble sur le sommet de la colline Sciberras où fut construite la capitale, dans une lumière douce, céleste, ni trop éblouissante ni trop pâle. Un matin de magiciens... Un émerveillement pur, un enchantement, une émotion palpable nous étreignent : tant de beauté rassemblée sur une si courte distance paraît irréel. Tout contribue à l'émotion : la paix profonde de ce petit matin, l'harmonie des couleurs et des formes, le silence empli d'une suavité ineffable...

Lorsque le bateau accosta prestement mené de main de maître, la magie dut s'estomper car nous distinguions sur le quai la cohorte de mes futurs collaborateurs jetés au bas de leur lit dès potron-minet pour accueillir leur nouveau chef.

Il fallait redescendre sur terre, physiquement et émotionnellement. Mais le charme avait joué et m'avait totalement capturé. Et, par cette étrange nuit du destin, le passé insidieusement revenu me hanter m'ouvrait au matin clair cette terre nouvelle qui s'offrait si bellement à moi.

AVANT-PROPOS

Sentinelle géologique jetée au milieu de la Méditerranée, citadelle inexpugnable même avec les moyens modernes, Malte consiste en un archipel microscopique dont l'isolement géographique a provoqué le développement de caractéristiques très particulières. Depuis les temps préhistoriques, les influences des voisins, ceux du Nord comme du Sud, voire ceux venus de l'Orient ont été intégrées dans la trame locale. Ce sont sept mille années d'une histoire complexe où, en permanence, le présent tisse avec le passé une toile aussi délicate que de la dentelle bretonne.

Par ailleurs, en France on aurait communément tendance à croire que l'île de Malte et l'ordre de Malte ne font qu'un et n'ont jamais fait qu'un. Ce livre a pour objet, entre autres, de démontrer le contraire, même s'il prouvera, je l'espère, que leurs histoires se confondent et interfèrent pendant longtemps. Il établira aussi que l'influence de l'Ordre a été plus déterminante pour façonner le Malte contemporain que celle des Britanniques qui ont imposé le statut de colonie pendant cent soixante-quatre années sur ce territoire européen.

Dans ce *Fabuleux Destin de Malte* qui se veut être une compilation d'événements marquants et historiques s'étant déroulés dans cette petite enclave européenne semée au large

15

des côtes africaines, Ordre (avec un O majuscule) désignera l'ordre de Saint-Jean, c'est-à-dire celui qu'on nomme communément, l'ordre de Malte.

CHAPITRE I

DES NAVIRES DANS LA RADE

À l'aune des autres Maltais, le baron d'Abela est un colosse. De la hauteur de son mètre quatre-vingts il domine ses compatriotes et leur inspire un respect indéniable. Mais ce respect n'est teinté d'aucune crainte car les traits du « géant » rayonnent d'une bonté ineffable et sincère. Toujours, il trouve un mot gentil pour ceux qu'il croise. Il n'est pas avare de ses sourires et parfois, il les accompagne d'une bourrade affectueuse qui ravit le petit peuple. Certes sa taille seule inspire la déférence et si, pour le regarder on est obligé de se tordre le cou en levant les yeux, c'est aussi avec affection et attachement que les Maltais considèrent leur géant.

De constitution naturelle robuste due à un mode de vie détendu et sain, les habitants de l'archipel sont peut-être aussi conditionnés par le ferme enseignement de l'Église qui façonne leur tempérament généreux et convivial. Les pêcheurs et les campagnards que le baron rencontre présentent en général un aspect rude et peu imposant : synthèses vivantes du type humain méditerranéen, ils sont en effet le produit d'un mélange de races que peu d'autres lieux pourraient égaler dans le monde : l'est du bassin méditerranéen, mais aussi le sud et le nord ont contribué à pétrir ce peuple qui a également intégré du sang normand, angevin, aragonais et, accessoirement, celui des marins du monde entier...

Généralement petits de stature, bruns de peau, noueux et minces pour les hommes (les femmes, dès qu'elles atteignent la quarantaine, s'enveloppent d'une confortable couche adipeuse), les Maltais sont physiquement vifs et ont le sang chaud. Le cheveu noir et souvent bouclé descendant assez bas sur le front, ils ont des yeux sombres et perçants.

Les hommes se couvrent la tête d'un banal mouchoir de couleur noué aux quatre coins tandis que les femmes, elles, tentent de conserver une improbable peau blanche en s'affublant d'un couvre-chef de paille tressée. Hospitaliers et aussi généreux que leur pauvreté le leur permet, ils sont très travailleurs et ardents aux exercices pénibles : agriculture sur une terre caillouteuse, pêche dans une mer venteuse, extraction de pierres pour construire leurs demeures, portefaix pour très lourdes charges. À l'instar des peuples pauvres, ils se révèlent industrieux et inventifs, tirant parti de ce qui se présente pour améliorer leur ordinaire et, sans verser dans l'avarice, accumulent avec plaisir les biens matériels.

Sans ostentation ni démagogie, le baron partage leurs loisirs, peu sophistiqués en général. Certes, ils aimeraient s'adonner à la chasse mais celle-ci est réservée aux aristocrates et si parfois ils braconnent, c'est à leurs risques et périls. Pour leurs distractions, ils se contentent donc des fêtes religieuses et populaires, de processions interminables qui, à l'issue des messes dominicales les retiennent tout le dimanche. Et puis, il y a la *festa*, réjouissance champêtre durant laquelle, comme pour le carnaval sous d'autres latitudes, une certaine liberté, surveillée cependant, est laissée aux villageois et quelques inhibitions disparaissent...

Bien ancré dans la culture populaire et surtout rurale, le *ghana*, chant populaire improvisé ravit les foules. Mélopée lancinante récitée sur un ton volontairement monocorde comme une berceuse, il n'endort pas, narrant les prouesses des héros locaux ou dénigrant gentiment ceux du village voisin et concurrent. Accompagnés d'une guitare ou d'un violon, deux chanteurs se succèdent ou se répondent, la main en porte-voix ou se couvrant l'oreille, en improvisant souvent des phrases selon les réactions du public. Connaissant ses artistes, celui-ci se montre bon prince et éclate d'un rire bon enfant.

Abela aime « ses » Maltais comme il a tendance à les appeler avec le paternalisme de bon aloi que les nobles du milieu du XVIe siècle adoptent sans complexe. Il apprécie de vivre parmi eux, s'esclaffant aux saillies grivoises et aux plaisanteries dont il comprend les subtilités, même s'il parle plus souvent l'italien que le maltais. Il n'ose s'avouer à lui-même qu'il se sent parfois mieux en leur compagnie qu'en celle, guindée, de certains de ses pairs... surtout ceux de la capitale, Mdina, qui se jugent issus de la cuisse de Jupiter en personne... Ces petits se montrent avec lui si simples, réservés mais chaleureux quand même. Et ils sont prêts à donner le coup de main si nécessaire...

C'est ainsi que parmi ses habitudes quotidiennes, le baron s'ingénie à rencontrer les habitants des minuscules villages de pêcheurs et de petits cultivateurs qui, dès la tendre aurore, ahanent, qui dans son champ, qui à sortir de son *luzzu*[1] pour les réparer des filets de pêche déchirés lors de la dernière sortie en mer.

La grande demeure du baron trône majestueuse et imposante à quelques encablures du village de Birgu la principale agglomération de l'île après Mdina, où résident la plupart des aristocrates dans de magnifiques demeures de pierre de taille ocre jaune, sombres mais fraîches. Les noms de ces deux agglomérations ne laissent d'ailleurs aucun doute sur le statut de l'une et de l'autre. Mdina à l'intérieur des terres – si l'on peut dire pour un territoire si étroit –, perché sur sa colline qui domine le paysage, c'est la « ville » d'après le vocable arabe. Birgu c'est le « bourg » selon le radical latin, mais aussi le port niché le long d'une crique trilobée naturelle et profonde, si bien protégée des vents et des vues qu'on se demande si Neptune, le dieu de la mer, ne s'est pas entendu avec Jupiter contre Éole pour laisser

---

1. Pour ce qui concerne les bateaux maltais, se référer au chapitre XII.

se creuser ces criques oblongues et étroites et en faire des havres exceptionnels et magnifiques...

Chaque matin sauf le dimanche, le baron émerge à heure régulière de son bastion privé en poussant lui-même les lourds vantaux de son portail. Vêtu en un certain négligé, il parcourt les quelques centaines de mètres qui le séparent du marché où il convient qu'il se montre attentif aux achalandages offerts principalement par les agriculteurs des environs proches. Il est en quelque sorte le suzerain par délégation de ce petit peuple vulnérable qui lui fait confiance. En ces temps durs, les paysans ne vendent bien sûr que leur surplus qui se révèle bien mince, et en tout cas, insuffisant pour satisfaire la demande et les besoins. Le baron va donc s'enquérir si personne ne souffre réellement de la pénurie. Et si par hasard, il découvre une famille qui cache humblement sa misère, il s'arrange discrètement pour y suppléer sans blesser sa fierté.

Déjà en temps normal, les produits agricoles issus de l'île elle-même ne parviennent pas à nourrir les quelque 30 000 habitants qu'elle compte. Gozo, l'île jumelle, la petite sœur, de dimension plus restreinte parvient, elle, le plus souvent, à vivre en quasi-autarcie alimentaire, et, quand faire se peut, exporte vers le « continent », c'est-à-dire Malte, ce qu'elle ne consomme pas.

Le soir, quand le soleil amorce sa descente et que la température promet de baisser, le baron remet le nez dehors pour une promenade hygiénique, mais de manière plus solennelle. Il s'habille alors comme l'aristocrate qu'il est et dont il défend fièrement les couleurs. Suivi d'un valet porteur d'une ombrelle blanche dont il requiert parfois l'ouverture, il monte d'un pas alerte la côte qui surplombe la magnifique anse au pied de Birgu. Il a ses habitudes et n'en varie guère : un jour il longe le rivage et tourne autour de la baie de Kalkara et le suivant, il préfère contempler le splendide coucher du soleil du sommet de la petite colline qui domine le clocher de l'église. Souvent il s'assied et papote en compagnie d'habitués et de passants qui trouvent le loisir de baguenauder à cette heure.

Ce jour-là, parti vers les hauteurs, il s'amuse à essouffler le jeune serviteur pourtant bien plus jeune qui s'efforce de ne pas le lâcher, sans pour autant perdre haleine à suivre le rythme. À sa décharge cependant, il faut admettre que la chaleur n'est pas encore complètement tombée. Pour une fois le vent est trop léger pour parvenir à rafraîchir l'atmosphère déjà chargée de l'humidité salée et lourde qui vient du rivage libyen.

À Malte, le mois d'octobre n'annonce pas toujours le terme de l'été, et la chaleur à son zénith peut rester vive qui accable gens et bêtes. L'île alors s'endort pour quelques heures sous l'irrésistible poussée de la canicule.

Tout frétillant et fier de sa performance car il a largement semé le jeune valet, le baron arrive au point d'observation qui domine en même temps le village de Birgu et la rade. Il ne prend pas le temps de récupérer son souffle, car son cœur bat quand même la chamade, et jette un premier coup d'œil circulaire sur l'étendue de mer enserrée entre les trois langues de terre qui, comme des doigts de gants, mordent sur la crique et la colline de Sciberras, en face, sur les flancs de laquelle il distingue nettement les toisons blanches de moutons qui y paissent. L'esthète qu'il est goûte pleinement la fabuleuse beauté du spectacle, le calme de ces fins d'après-midi, et, chaque fois rend grâces à Dieu de l'avoir fait naître dans un lieu aussi paradisiaque.

Mais il n'a pas le temps de faire oraison. Avec stupéfaction il constate que de nombreux navires mouillent dans la baie alors que d'autres font force de rames afin d'y pénétrer avant la tombée de la nuit. Ce sont des dizaines de galères et de bateaux à voiles plus petits qu'utilisent les fameuses marines vénitienne et génoise. À chaque endroit où il porte le regard, il en voit d'autres, qui déjà débarquent des hommes et du matériel à partir de planches reliant les esquifs aux rochers plats qui constituent le rivage.

Que se passe-t-il ? se dit-il *in petto*. Il interroge du regard le valet qui vient de le rejoindre pour découvrir la même surprise.

Il ne le sait pas encore, mais le destin de son pays, Malte, vient de basculer. L'ordre militaire et hospitalier de Saint-Jean de Jérusalem et de Rhodes vient de prendre possession de l'archipel qui lui a été donné par Charles Quint le 24 mars précédent.

Nous sommes le 26 octobre de l'an de grâce 1530.

CHAPITRE II

LE BOUCLIER DE LA CHRÉTIENTÉ

L'évocation de Malte appelle celle de l'ordre hospitalier de Saint-Jean, révélé à l'Occident chrétien en 1099 après que Godefroi de Bouillon a « libéré » Jérusalem lors de la première croisade. Cette nouvelle extraordinaire provoque une ferveur immense et, à travers toutes les strates de la société, se rendre en Terre sainte devient à n'importe quel prix l'objectif de tous, bons chrétiens ou pécheurs. Pas un ne veut manquer l'occasion, au risque de se voir dépouillé de son argent ou de perdre la vie, ou encore de tomber malade. Car Jérusalem, objet de tous les rêves, les prières et les invocations est devenue accessible...

Mais sur place, l'arrivée massive et non annoncée de ces pèlerins, auxquels se mêlent curieux, profiteurs voire escrocs, crée une multitude de problèmes médicaux et aussi sécuritaires car il faut garantir à ces voyageurs désarmés et démunis de ne pas se faire rançonner et trucider par les musulmans et les bandits.

Apitoyé par l'extrême dénuement dans lequel sont abandonnés les plus pauvres de ces gens, un religieux français, frère Gérard[1] a l'idée de faire revivre une église et un couvent-hospice

---

1. Il est très probable que ce discret frère Gérard ait été originaire de Martigues-en-Provence. L'histoire de l'Ordre ne l'affirme pas, se contentant de le nommer frère Gérard.

qui avaient été érigés au milieu du siècle par des moines italiens[1], et placés par eux sous la protection et le patronage de saint Jean.

L'intention initiale de frère Gérard Tenque qui recueille l'approbation du roi franc est de soigner les chrétiens malades ou blessés.

De dispensaire, l'établissement devient petit à petit un véritable hôpital à caractère religieux au point qu'en février 1113, le pape Pascal II en reconnaît l'existence et signe une bulle qui en fixe les règles.

Mais la présence franque en terre sainte est fragile et de multiples escarmouches, voire de véritables batailles entre croisés et «infidèles» imposent graduellement un fait : soigner les blessés est une bonne action, mais tenter d'en diminuer le nombre en les protégeant mieux serait une encore meilleure idée. Et c'est ainsi que sous le règne du successeur de Gérard, Raymond du Puy, un autre Français, l'Ordre créa sa propre milice et devint militaire[2].

L'ordre militaire et hospitalier de Saint-Jean de Jérusalem est né en cette année 1113. Il est voué à saint Jean le Baptiste dont il possède la main en relique, et que nous retrouverons plus de quatre cents ans plus tard débarquant dans le grand port de Malte.

L'Ordre, à la tête duquel se succèdent longtemps des grands maîtres français, cherche à équilibrer ses deux vocations guer-

---

1. Probablement en 1048. Ces Italiens venaient pense-t-on d'Amalfi (près de Salerne).
2. À peu près à la même époque naquit l'ordre équestre du Saint-Sépulcre de Jérusalem. Au cours du concile de Clermont, en 1095, le pape Urbain II appelle les chevaliers à délivrer la Terre sainte, et c'est encore Godefroi de Bouillon qui crée le corps chargé de veiller sur le tombeau du Christ. À ne pas confondre avec l'ordre des Templiers qui vit le jour en 1119 et qui se donna peu ou prou le même objectif de défendre et d'accompagner les pèlerins vers Jérusalem. Comme on le sait, c'est le roi de France Philippe le Bel qui, en 1310, dissout l'Ordre et envoie la majorité des Templiers au bûcher.

rière et religieuse. Afin de contenir l'ennemi musulman hors de la Terre sainte, il construit sur ses limites de formidables bastions comme les châteaux de Margat, de Saône, de Beth Gibelin et de nombreux autres encore[1].

Mais ce n'est pas suffisant car, malgré l'héroïsme des deux ordres de Jérusalem et du Temple, qui parfois rivalisent mais bien plus souvent coopèrent, les chrétiens reculent pied à pied, et devant abandonner Jérusalem et toute la campagne environnante, se réfugient dans Saint-Jean-d'Acre. Ils y tiennent jusqu'en 1291, mais ne peuvent résister aux assauts du sultan mamelouk Baïbars qui finalement les obligent à s'embarquer[2] et à quitter la mort dans l'âme ce qui fut pendant presque deux cents années le royaume franc de Jérusalem.

La première errance de ces moines armés commence qui durera plusieurs années car tout religieux et soumis au pape soient-ils, ces curieux soldats inspirent crainte et suspicion dans les rangs des principautés chrétiennes. Régis par des principes rigides et contraignants, menés de main de fer, ils véhiculent une réputation d'implacabilité qui donne le frisson... C'est ainsi qu'une première tentative dans l'île de Chypre échoue car, bien que Français d'origine, les princes de Lusignan qui la possèdent ne parviennent pas à supporter l'autoritarisme des religieux de Saint-Jean.

Rhodes, qui végète sous la suzeraineté de Byzance[3], semble une cible facile – et en tout cas qu'il est impensable de laisser tomber dans l'escarcelle du grand Turc et est conquise par les Hospitaliers en 1306, avec l'intention bien proclamée de s'en

---

1. Acquis ou reçus, les fiefs du krak des Chevaliers ou Bellvoir sont réhabilités et deviennent les imposantes forteresses que visitent aujourd'hui les touristes en Syrie.
2. Les grands maîtres des deux Ordres s'en tireront fort mal. Celui des Templiers sera tué et celui de l'ordre de Saint-Jean grièvement blessé.
3. Le schisme qui a coupé en deux l'Église chrétienne date de 1054. Siège de l'exécré rite orthodoxe, Byzance devient un adversaire de Rome.

servir de base de départ pour bouter à nouveau les musulmans hors de la Terre sainte.

Mais pour eux comme pour beaucoup, le provisoire peut devenir durable. Et les Hospitaliers resteront plus de deux siècles à Rhodes où ils installent un formidable réseau de fortifications.

La construction de l'hôpital est menée à bien parallèlement à celle de l'église et du château fort, siège du souverain.

Lorsque, embarrassé par la perspective d'hériter des biens de l'ordre du Temple qu'il avait démantelé, fermement incité par le pape à ne pas s'approprier, par mégarde bien entendu, des biens d'Église, le roi de France Philippe le Bel décide de confier une grande partie de ses propriétés à l'ordre de Saint-Jean, celui-ci devient richissime. Il peut entreprendre l'édification d'autres bâtisses prestigieuses, comme deux autres hôpitaux par exemple, qui deviennent si réputés qu'on vient de toute l'Europe pour s'y faire soigner et y apprendre des techniques médicales innovantes.

C'est à Rhodes, il faut y insister, que s'effectuent progressivement trois métamorphoses de l'Ordre qui deviendront de véritables signatures et les caractéristiques essentielles de l'institution à Malte. Comme à l'habitude, c'est la fonction qui crée les organes, et l'ordre de Saint-Jean ne fait pas exception à cette règle.

Tout d'abord, les capacités de bâtisseurs des chevaliers s'affirment et se développent considérablement. Certes, nous l'avons vu, en Terre sainte, ils avaient déjà construit et surtout fait construire[1] des installations qui témoignent de leur savoir-faire et de leurs ambitions. À Rhodes, ils développèrent encore plus avant leurs techniques, démontrant une maîtrise sans faille

---

1. Constitué de cadets de famille fortunés pour la plupart, l'Ordre ne dispose pas généralement d'ouvriers, d'architectes, de maîtres d'œuvre capables de monter des murs de pierre ou de brique. Mais ils savent louer les meilleurs constructeurs du pays et les guider à la perfection.

pour l'utilisation des reliefs naturels et inventant des systèmes défensifs qui furent plus tard, lors de leur longue aventure maltaise, encore améliorés et portés à leurs sommets. Ici, tout comme ils le feront plus tard d'ailleurs à Malte, les chevaliers louent les services des plus éminents spécialistes des fortifications, les Vénitiens, les Génois, les Milanais.

Vauban, le grand Vauban qui construisit 33 places fortes et aménagera plus de 300 forteresses le long des côtes françaises, prendra une grande partie de son inspiration chez ces précurseurs.

En second lieu, sous de prestigieux grands maîtres, les chevaliers s'organisent en unités, sorte de régiments homogènes qu'ils nomment les «langues[1]» car ils sont composés de nobles issus d'une même région et supposés s'exprimer dans le même idiome. Sont minimisées voire éliminées ce faisant les querelles de clocher entre chevaliers d'origines différentes qui nuisent à l'efficacité pendant les batailles et à la sérénité publique entre deux engagements. S'imposent progressivement huit langues : la Provence (dont la primauté provient probablement du fait que le fondateur était originaire de cette région), l'Auvergne, la France, l'Italie, l'Aragon, l'Angleterre[2], l'Allemagne et la Castille. Chacune est commandée par un bailli, «pilier» de sa langue ; chaque langue se spécialise petit à petit dans tel domaine militaire ou pour l'administration générale. (Par exemple, le pilier italien est toujours le chef de la flotte tandis que son homologue allemand est responsable des fortifications et de l'artillerie.)

Cette institution internationale avant l'heure de la globalisation, cette Union européenne du XIVe siècle sait très vite distinguer entre les principes et les bons sentiments d'une part et

---

1. Nous y reviendrons en abordant au chapitre XI l'organisation unique de l'ordre de Saint-Jean.
2. Qui fut dissoute à la suite du schisme anglican en 1534, et se transforma en 1782 en Anglo-Bavière.

l'efficacité de l'autre. Faisant fi des discours fédérateurs et unitaires, elle rassemble des individus parlant la même langue, partageant *grosso modo* des aspirations identiques et commandés par un de leurs compatriotes.

Cette pratique, ébauchée à Jérusalem, mais systématisée à Rhodes, accroît considérablement la portée du savoir-faire militaire mis en œuvre par cette petite armée à laquelle on demande de grandes choses si ce n'est de permanents exploits.

Enfin, d'une culture quasi exclusivement terrienne, fondée sur l'infanterie et la cavalerie auxquelles vient s'ajouter l'artillerie, l'Ordre se convertit en une force maritime. La nouvelle existence dans une petite île, l'obligation de se colleter avec un ennemi ottoman qui vient uniquement par la mer, transforme ces fantassins en de redoutables corsaires écumant les eaux de la Méditerranée orientale où se meuvent les galères turques et leur infligeant désastre après défaite. Cet art sera lui aussi à son apogée quand l'Ordre rejoindra Malte, mais c'est à Rhodes que fut perfectionnée la technique maritime et que furent menées les premières expérimentations tactiques de raids navals.

Ce qui va devenir à Malte une œuvre gigantesque et magnifique a donc été rodé et mis au point dans cette dure école d'application, cet excellent terrain d'essai que fut Rhodes.

*

Car, forts de leur succès en Terre sainte, les Turcs ne désarment pas. Le sultan Mehmet II poursuit le rêve et l'ambition de conquérir le monde. La déferlante musulmane est en marche sur terre et sur mer. Déjà la prise de Constantinople tombée en 1453 signe l'épouvantable déclin et la disparition du premier empire chrétien, et les armées conquérantes poursuivent sans grande difficulté leur avancée vers le couchant qui les mènera bientôt sous les murs de Buda, Pest puis de Vienne.

Mais sur mer, le verrou de Rhodes est gênant bien que contournable. Nul stratège qui se respecte ne peut de gaieté de cœur laisser sur ses arrières ou ses flancs un môle puissant duquel peut jaillir à tout moment une escadre attaquant des lignes de communication fragilisées par leur longueur. Et l'Ordre, on l'a vu, a déjà prouvé sa hardiesse en taillant de sérieuses croupières aux navires ottomans, civils comme militaires, et en se révélant une menace majeure pour les troupes musulmanes. Enfin, sur un plan autant spirituel que politique, dans la conception turque, la Méditerranée est un espace musulman dans lequel ne peut être toléré aucun chrétien sauf s'il se soumet et accepte la condition de *dhimmi*[1]. Un nettoyage ethnique et religieux s'impose...

Donc sus à l'ordre de Saint-Jean. En 1480 le sultan des sultans « met le paquet » et arme une gigantesque flotte sur laquelle embarquent presque 100 000 hommes qu'il lance à l'assaut de Rhodes. Assistée magnifiquement par la population locale et des « mercenaires » venus de toute la chrétienté, l'île résiste, dirigée de main de maître par Pierre d'Aubusson le grand maître. Humiliés, les Turcs sont obligés de lever le siège mais les sultans qui se succèdent poursuivent leur stratégie et mettront tout en œuvre pour soumettre ce maudit réduit chrétien.

C'est Soliman le Magnifique, contemporain et futur allié de François Ier qui en 1522 reprend l'œuvre de son prédécesseur : plus de 300 galères sont alors affrétées, qui transportent près de 150 000 hommes dont les redoutables janissaires et des spécialistes éprouvés de l'assaut contre les forteresses : sapeurs, artificiers, poseurs de mines sous les bastions, artilleurs sachant l'art subtil des catapultes et des bombardes, monteurs d'échelle pour l'assaut des remparts, équipages de brûlots, etc.

Les défenseurs font preuve d'un héroïsme et d'une combativité qui stupéfient les attaquants. Débarqués de leurs galères

---

1. Statut spécial concocté essentiellement pour les chrétiens vivant en terre musulmane, qui implique la soumission et un impôt à payer en échange de la protection du prince. Cette disposition a concerné de nombreux coptes en Égypte, des Palestiniens et des Libanais, des minorités irakiennes et syriennes pendant plusieurs siècles.

inutilisables, les chevaliers en titre dont le nombre n'excède pas 600, assistés d'environ 5 000 soldats professionnels venus de toute l'Europe et encore une fois par la population, résistent plus de six mois avant que le grand maître Villiers de L'Isle-Adam ne soit obligé de négocier sa capitulation.

La petite histoire retiendra la trahison de l'un des hauts dignitaires de l'Ordre, le chancelier et grand prieur castillan d'Amaral : aveuglé par sa haine du grand maître dont il avait espéré la place, il informe les janissaires du moral des assiégés, mais aussi de leurs pertes et de l'état de leurs réserves. Démasqué, il est dégradé, dépouillé de l'uniforme prestigieux de l'Ordre puis décapité sur la place publique.

La grande histoire, elle, se souviendra de l'attitude des Ottomans. Chevaleresque, impressionné par la vaillance et l'ardeur combative des défenseurs, mais aussi désireux d'en finir au plus vite pour poursuivre ses conquêtes, Soliman le Magnifique prend une décision lourde de conséquences (que, par la suite ses successeurs regrettèrent amèrement). Il autorise les chevaliers survivants de cette difficile bataille à quitter l'île avec les honneurs de la guerre, c'est-à-dire avec tous leurs trésors, leurs armes, leurs symboles, leurs archives et aussi avec la quasi-totalité des habitants de Rhodes qui, ayant pris parti contre les musulmans, redoutent les représailles. Il fait même davantage en laissant défiler majestueusement l'Ordre quittant la forteresse devant ses propres troupes alignées en parade. C'est donc un ordre de Saint-Jean prêt à une nouvelle bataille qui hisse les voiles en cette fin de 1523 vers un destin incertain. C'est aussi la flotte de l'Ordre au grand complet menée par la Grande Caraque[1] qui appareille vers Candie, saluée par leurs vainqueurs tout à la fois soulagés et admiratifs.

Défait mais pas déshonoré, l'Ordre conserve intact son immense prestige. Plus encore, sa détermination et sa farouche

---

1. Grande galère de fort tonnage.

résistance en font le porte-drapeau de la chrétienté et un de ses meilleurs bras armés.

Ceci étant, une troisième errance débute bel et bien qui mène les sans-patrie à Messine d'où on les éconduit poliment, en Crète, dans des localités de la côte italienne et pour finir à Tarente d'où le grand maître Villiers de L'Isle-Adam use de toute son influence et de l'immense prestige acquis à Rhodes durant ces longues années de résistance aux Turcs pour négocier un point de chute.

Bouclier de la chrétienté, l'Ordre ne suscite pas l'adhésion des grandes puissances ni des petites principautés qui se partagent la souveraineté de la péninsule italienne : on craint encore sa rigueur, sa puissance militaire et politique. On redoute que, bras armé et discipliné d'une papauté aussi impérialiste territorialement que n'importe quelle autre nation, accepter l'Ordre chez soi signifie à terme offrir au souverain pontife le territoire accordé.

La déception est immense dans les rangs des chevaliers lorsque le roi de France François Ier décide de s'allier à Soliman pour faire pièce aux Habsbourg qui règnent alors non seulement en Autriche et en Italie mais aussi en Espagne et encerclent donc la France. Car cette tactique politique prive l'Ordre de son appui naturel, la France dont sont issus la très grande majorité des chevaliers et le grand maître lui-même. Elle ouvre aussi aux « infidèles » toute grande la porte de la Méditerranée occidentale sur laquelle ils tambourinent depuis si longtemps.

L'Isle-Adam se tourne plusieurs fois vers les plus puissants souverains et principalement l'empereur Charles Quint – d'ailleurs fort inquiet de cette alliance contre nature entre la fille aînée de l'Église et l'adversaire juré de celle-ci... – qui pourrait lui octroyer Syracuse, merveilleuse rade et bastion puissamment fortifié sur la côte orientale de la Sicile. En vain. On songe aussi à Ibiza, Minorque, Nice où, dans le palais Lascaris, on s'installe brièvement.

D'abord abasourdi par l'inconséquence du roi de France pourtant lui aussi protecteur de la chrétienté, Charles Quint réagit. Empereur du Saint Empire germanique et roi d'Espagne, et à ce titre suzerain du royaume des Deux-Siciles[1] qui compte Malte dans son escarcelle, il décide d'ériger derechef le bouclier anti-Ottoman plus à l'ouest. Il exerce une pression tenace afin que l'Ordre accepte d'occuper l'archipel et lui garantisse ainsi la protection de son flanc méridional.

Le 24 mars 1530, Charles Quint signe donc avec L'Isle-Adam l'acte de location de Malte contre l'octroi annuel d'un faucon encapuchonné de broderies.

Assis à nouveau sur un territoire qui justifie sa qualification de souverain[2], sept longues et dures années après la perte de Rhodes, l'Ordre redevient lui-même juridiquement et psychologiquement. Non seulement il récupère son statut et son indépendance, mais il se voit conforté dans sa mission militaire contre les infidèles.

*

À quelques disparités près, c'est la même flotte qui a quitté Rhodes sept ans auparavant que le bon baron d'Abela contemple avec stupéfaction et perplexité dans la rade du Grand Port en cette belle soirée d'octobre 1530. La Grande Caraque est là, noire, grand pavois déployé et l'immense flamme de l'Ordre flottant fièrement à la poupe.

Magnifique emblème, croix blanche à huit pointes sur fond rouge vif, ce pavillon est désormais connu et craint dans toute la

---

1. Charles Quint est roi de toutes les Espagnes sous le nom de Charles Ier et possède aussi la couronne de Naples et de Sicile. C'est celle-ci qui règne sur l'archipel maltais et sur Tripoli d'Afrique actuelle capitale de la Libye.
2. Bien des siècles plus tard, la question de la reconnaissance de l'Ordre par certaines puissances (dont la France) butera sur cette question de territoire. Pour mériter la qualification de souverain, il faut en effet un territoire sur lequel exercer cette souveraineté. Depuis 1798, date à laquelle l'Ordre fut obligé de quitter Malte, il n'est plus souverain pour nombre de capitales.

Méditerranée. Cette galère « capitane » est accompagnée d'une dizaine d'autres galères plus modestes mais redoutables dont une partie est prêtée par Venise et Gênes : la *Sainte Anne* qui venait juste d'être lancée à Nice, la *Santa Maria*, la *Santa Catarina*, le *San Giovanni*... Toutes peintes couleur sang. Plusieurs bateaux de transport, des flûtes, des allèges complètent l'équipage, ce qui donne une impression de puissance et le sentiment d'une invasion.

Il est probable que le baron avait auparavant aperçu ce pavillon imposant, dans l'une des criques maltaises si nombreuses où viennent en toute impunité se reposer des navires de toutes origines, ou dans le Grand Port lui-même. Mais nous ne possédons pas de preuve de visites de navires de l'Ordre dans ces parages de Méditerranée centrale avant cette arrivée spectaculaire. La flotte chrétienne était en effet davantage occupée à guerroyer contre les musulmans très à l'est de l'archipel, dans les eaux du pourtour des îles grecques, le littoral égyptien et surtout le Levant où se pratique l'essentiel du commerce turc.

Il est dès lors normal qu'il se perde en conjectures quant à la raison de cette agitation anormale dans une vaste rade fréquentée le plus souvent par les navires à voiles ou à rames apportant de Sicile à cette terre aride et peu productive les denrées alimentaires qui lui font défaut. Il ignore notamment qu'en grand secret le grand maître avait envoyé quelques observateurs plusieurs mois auparavant qui lui avaient fait un rapport extrêmement négatif. Horrifiés par la perspective de se trouver cantonnés à Malte, les cinq ambassadeurs disaient en substance : « Cette île désertique et sans eau à l'exception de celle de la pluie rare même en hiver est proprement inapte à recevoir l'Ordre. Elle ne parvient pas à nourrir ses habitants pourtant en nombre insuffisant pour participer efficacement à sa propre défense. Tout doit être importé de Sicile, jusqu'aux clous et aux planches nécessaires à la construction des navires. Et si par malheur la Sicile tombe en des mains hostiles, il reste à Malte la sombre perspective de mourir de faim...

« Et, fait beaucoup plus grave, l'archipel est presque sous-équipé militairement : ses dérisoires fortifications bâties en un temps lointain [1] sont en un état déplorable, nécessitant un énorme et immédiat effort pour être relevées... En bref concluent les envoyés, il convient de refuser la proposition de l'Empereur qui s'avérera effroyablement coûteuse. »

Mais échaudé par ces longues années incertaines, et craignant de se faire promener ainsi sans fin, L'Isle-Adam a balayé ces objections pessimistes. Il les soupçonnait d'être partiellement influencées par l'éventualité d'un mode de vie plus austère à Malte qu'à Rhodes, alors que Tarente on mieux Nice recueillent les préférences des chevaliers... Jeunes et fringants, courageux et dévoués, ils ne sont pas pour autant des chiens de guerre dépourvus d'humanité...

Et c'est ainsi que l'ordre militaire et hospitalier de Saint-Jean de Jérusalem et de Rhodes deviendra par la suite l'« ordre de Malte ».

---

1. Nous verrons plus avant que les Normands et les Arabes avaient fortifié l'île.

CHAPITRE III

UNE PRÉHISTOIRE MYSTÉRIEUSE

Comme on peut le supposer, Malte n'est pas née de cette dernière pluie et n'a pas attendu l'arrivée des chevaliers en 1530 pour avoir une existence, une histoire. Auparavant, elle a déjà accumulé des dizaines de siècles d'annales denses et fertiles en événements les plus passionnants. Seule probablement Jérusalem a conservé autant de strates d'une présence humaine diversifiée et continue, autant de reliques émouvantes et instructives sur notre histoire.

La mer présente souvent un obstacle à la perméabilité des cultures, qui isole et renferme parfois. Elle s'est révélée ici un trait d'union remarquable. Elle a ouvert l'archipel à de nombreuses incursions qui, toutes ont laissé des traces significatives : à Malte tout le monde est venu ; tous ont marqué leur séjour ou leur passage de signes indélébiles et passionnants pour les archives de deux continents, l'européen et l'africain, voire l'asiatique.

Une visite à Malte, qu'elle soit exploratoire ou mieux, orientée vers des thèmes précis, ne décevra jamais : l'archipel semble avoir été favorisé par la période néolithique et il n'est que peu d'autres endroits au monde aussi riches et impressionnants.

C'est environ 5 000 ans avant Jésus-Christ que l'archipel débute son histoire – qui n'est pas encore l'histoire de l'humanité. Pendant les siècles qui ont précédé cette période néolithique, s'étant détachées au début de l'Holocène du continent euro-péen[1] à la plaque tectonique duquel elle devait appartenir, les deux îles restèrent inhabitées. Mais la trentaine d'espèces d'ani-maux préhistoriques dont on a retrouvé les ossements dans des grottes laissent entendre qu'elles ont peut-être servi de pont, entre les deux continents où elles se situent. Malte, un gué entre les mondes arabe et européen ! Quelle extraordinaire voca-tion politique et culturelle à approfondir et à mener à bien dès l'entrée de cet État dans l'Union européenne...

Des fragments d'éléphants et d'hippopotames nains notam-ment laisseraient croire à une dégénérescence de la race due à une endogamie trop prolongée et à la présence de forêts et de savanes sur le relief maltais, ce qui est difficile à se représenter quand on y débarque en 1530 ou aujourd'hui...

Il semblerait que les premiers hommes arrivèrent de Sicile pour pratiquer un culte dont on ignore les tenants et les abou-tissants. On suppose que les Siciliens de l'époque ont d'abord observé de loin Malte qui apparaissait comme aujourd'hui d'ail-leurs par temps clair. Certains, hardis marins, ont donc tenté la traversée du détroit de quatre-vingts kilomètres sur de frêles esquifs. Ils revinrent dans la grande île avec du miel, des ânes sauvages et peut-être aussi des obsidiennes, pierres dont le reflet les aurait intrigués.

Peut-être ces précurseurs furent-ils suivis de beaucoup d'au-tres et l'archipel devint-il une simple extension territoriale de la Sicile sur laquelle on venait chasser, pêcher, cultiver d'autres végétaux comestibles que sur la grande île volcanique...

Dans cette hypothèse, appuyée d'ailleurs par la découverte de nécropoles assez nombreuses, on peut imaginer que certains hommes s'y soient fixés pour de bon.

Mais une autre théorie beaucoup plus romanesque laisse entendre que les deux îles, Malte et Gozo, auraient été consi-

---

1. Cette assertion est contestée par certains spécialistes affirmant que Malte fut liée à la plaque africaine et que les deux continents africain et européen étaient liés via ce qui est aujourd'hui Malte.

dérées comme un lieu sacré où vivaient essentiellement des prêtres accompagnés probablement d'une suite de serviteurs. Il serait bon de laisser voguer son imagination et, en fermant les yeux, de contempler, au soleil levant, les vestales de ces divinités entrer majestueusement au son des tambourins et des fifres dans les successives enceintes de ces temples devant la foule prosternée. Puis le sacrifice, d'animaux et non d'humains espère-t-on, et la fumée s'élevant dans l'air calme sous un ciel limpide...

Incitées par leur sens du sacré ou par un rituel immuable, des populations effectuaient alors un voyage périlleux en franchissant le canal de Sicile, voyage initiatique qui accentuait le caractère sacrificiel et ésotérique de la démarche. À l'issue de ce pèlerinage, comme les musulmans qui se rendent à La Mecque, ils revenaient sanctifiés et protégés des dieux malfaisants. Peut-être aussi faisait-on le voyage pour mourir et être enterré à jamais sous le sol sacré...

Le nombre considérable de temples de pierres dressées, constructions cyclopéennes levées vers le ciel qu'on trouve encore sur les deux îles constituant l'archipel maltais militerait pour cette thèse. Mais les experts se déchirent, chacun produisant les preuves irréfutables en faveur de sa propre version.

Autour de Malte, le monde évolue aussi, et c'est à cette période qu'en Égypte, on assiste à la naissance de l'écriture nilotique qui précède largement la première dynastie.

Les historiens ont divisé cette éblouissante période néolithique maltaise en différentes phases pour désigner les civilisations qui se sont succédé. Ce qu'ils appellent la « période des temples » court jusqu'à l'âge de bronze et du fer, c'est-à-dire jusqu'en 2500 avant J.-C. Elle s'est donc étendue sur vingt-cinq siècles... La découverte de figurines en poterie témoigne d'une civilisation ayant atteint un degré inégalé dans la maîtrise de technique de conception et de décoration. Il est probable que plusieurs cultes différents étaient rendus simultanément et successivement. Car on recense aujourd'hui vingt-trois temples, ce qui est stupéfiant pour un territoire si restreint, sans compter ceux détruits au cours des nombreux siècles qui ont suivi et dont les traces sont perdues.

Tous les spécialistes s'accordent à penser que des œuvres de la taille de ces temples ne peuvent exister sans des sociétés très hiérarchisées, capables de mobiliser une puissante force de travail, des milliers d'ouvriers, obéissant à une organisation structurée et dotées d'outils qu'on ne peut qu'imaginer. Il n'est pas impossible de supposer qu'une certaine émulation entre groupes adorant différentes divinités ait, par esprit de clocher, incité l'édification de si imposants monuments.

Certains de ces lieux de culte présentent comme les pyramides un étrange et subtil alignement avec le soleil de solstice qui pénètre ainsi à l'intérieur et devait subjuguer les crédules adorateurs. Le doute est exclu que nos Maltais d'il y a 5 000 ans aient pu ignorer le calendrier astronomique...

Il ne fait pas de doute non plus que les prêtres pratiquaient les oracles à bon marché car des trous existent par lesquels leur voix devait sembler sortir d'outre-tombe. Il est probable que la prostitution sacrée était pratiquée car les représentations de pierre ménagent parfois un trou à la place du vagin. Les rites funéraires révèlent également une société sophistiquée qui traite ses morts comme des reliques et les enterre avec honneur et respect. Tout comme la lignée, l'individu reçoit des hommages remarqués comme en témoigne le célèbre hypogée[1].

Dolmens et menhirs, alignements, cercles mystérieux de pierres levées, aménagements de grottes naturelles : tous dénotent non seulement un haut niveau de civilisation mais aussi l'existence d'une atmosphère pacifique qui se doit d'être soulignée car plutôt rare à cette époque. Les deux îles sont littéralement couvertes de structures antiques et de sites funéraires qui inspirent autant l'admiration que la perplexité.

---

1. Catacombes souterraines caractéristiques de certaines époques et civilisations. Classées par l'Unesco au patrimoine mondial de l'humanité.

D'énigmatiques et obèses silhouettes sont pour la plupart asexuées. Par ignorance ou pour justifier une théorie, on leur a attaché une image féminine, mais à part certaines dont les seins sont sans ambiguïté, rien n'est sûr. Alors, déesses célébrant la fécondité ou la maternité comme on l'affirme si souvent ? Symboles érotiques que ces formes humaines couchées sur le côté dans une attitude d'attente et de soumission ? Selon les principaux experts, il se pourrait que ce soit davantage le principe de l'égale complémentarité entre le masculin et le féminin, concept on ne peut plus moderne qui prévaudrait. Une statuette représentant une personne en jupe peut évoquer une femme certes, selon nos critères actuels, mais aussi un prêtre paré de ses habits sacerdotaux. En revanche, à Tarxien, il est clair que ce sont des phallus au nombre de trois que l'artiste du Néolithique a voulu exhiber.

Pour ce qui est des statues colossales ou miniatures sans équivoque sexuelle, il est évident que les canons de la beauté féminine se situaient aux antipodes de ceux d'aujourd'hui car l'épaisseur considérable des cuisses et le volume des poitrines des Vénus locales sont impressionnants... On peut se gausser des nombreux plis adipeux retombant sur les cuisses de ces plantureuses représentations humaines mais on ne sait si elles représentent un idéal ou un état de fait.

Doit-on associer l'obésité à la fertilité ? Le culte à la déesse mère n'est pas certain, mais comme ce serait plus romantique d'imaginer que ces statues féminines aux dimensions généreuses, les formes rondes des temples, les espaces ovales et l'architecture en creux contribuent tous à magnifier l'image de la femme, et que les statuettes phalliques de terre cuite ou de pierre sont bien là pour indiquer combien cette plénitude suscite d'émotions... !

L'archéologie hélas ne nous a pas encore donné les moyens de pénétrer dans les âmes de ceux dont on découvre les créations artistiques ou cultuelles.

De toutes les marques du passé que l'on observe, ce sont probablement les traces d'ornières (appelées en anglais *cart ruts*) qui restent le plus énigmatiques. Zébrant la campagne maltaise en plusieurs points de l'archipel, d'une profondeur parfois de soixante centimètres qui traduit le poids des matériaux charriés sur des supports éloignés l'un de l'autre d'environ un mètre, conduisant à des temples, à des nécropoles, voire à des falaises abruptes, elles franchissent de rudes pentes sur lesquelles nul charroi imaginable n'aurait pu s'engager. Des roues – si elles avaient été inventées – n'auraient pas creusé le sol si profondément ; ce sont probablement des timons, frottant à terre à une de leurs extrémités et attelés à deux animaux cheminant côte à côte qui ont creusé ces sillons...

Il est vrai qu'on en a recensé en Italie, en Grèce et en Sardaigne. Mais il n'y a qu'à Malte que leur concentration est aussi importante (plus de 200 sites) et illogique pour nos esprits rationnels. À quoi se rapportent-elles ? De quand datent-elles ? Les réponses des archéologues divergent, s'accordant seulement sur le fait qu'elles sont certainement antérieures au temps des Puniques qui ont creusé quelques tombes en travers de ces traces.

*

Cette période glorieuse de la préhistoire maltaise prend fin soudainement sans qu'on s'explique le motif de cette interruption ; mais ce qu'elle a laissé derrière elle est proprement fascinant qui mérite le détour et sûrement une étude approfondie.

À l'âge du bronze, un nouveau peuple dont l'origine est encore inconnue remplace la brillante population précédente. Il introduit des armes et surtout se met à brûler ses morts comme peuvent l'attester d'autres cimetières. Il élève aussi des menhirs mais, plus que lors des ères précédentes, il doit se défendre contre des incursions hostiles et donc fortifie ses villages. Des Calabrais viennent ensuite se mêler à cette civilisation, y apportant leur propre art décoratif, mais aussi peut-être leur propre mode de transport.

Malte, on le constate, a vécu intensément avant que nous, Européens du Nord, n'ayons été en mesure d'apporter quelque chose à la civilisation planétaire. La densité de ses temples et de ses installations antiques en fait un véritable sanctuaire de l'humanité. Il est d'ailleurs dans le domaine du possible que d'autres hypogées, temples ou sites funéraires soient découverts à chaque nouvelle excavation. Par ailleurs, malgré les dommages occasionnés par les crémations des corps, les Maltais comptent sur les techniques liées à l'ADN pour améliorer leurs connaissances sur leurs origines lointaines.

*

Il semble impossible, arrivé à ce stade, de ne pas mentionner une curieuse voire abracadabrante théorie qui prend de l'ampleur avec les années. Selon un ouvrage fort documenté[1] et se référant à des textes et des études présentés scientifiquement, Malte serait l'Atlantide, l'île mythique de Platon... Cette revendication ne serait pas nouvelle ; elle remonterait à l'année 1525, date à laquelle d'anciens textes ont été rapatriés de Constantinople vers l'Europe. Elle est, semble-t-il, confirmée par Ptolémée, Pline et plusieurs écrivains antiques dont les assertions auraient été volontairement occultées...

Cette version étrange et pour le moins contestée soutient que l'Atlantide était la bande de terre qui reliait la Libye à la Sicile. Admettre cette hypothèse revient à conforter l'image de gué mythique entre l'Afrique et l'Europe, et à insister sur une mission divine des Maltais lorsqu'ils servent de pont entre ces continents qui jusqu'à présent n'ont pas brillé pour l'harmonie de leurs relations...

Selon cet habile ouvrage, c'est en 2192 avant J.-C. que cette terre aurait été submergée lors du grand cataclysme survenu à

---

1. Anton et Simon Mifsud, Chris Sultana, Charles Ventura, *Echoes of Plato's Island*.

l'époque où le roi Ninus régnait sur Babylone. Ce moment coïncide avec la disparition des constructeurs des temples de Malte sans explication valable.

Il serait dit dans plusieurs documents en faveur de cette hypothèse que la « race des peuples à longue tête » aurait été annihilée par la chute d'une météorite après être apparue à Malte entre 12 000 et 15 000 années avant J.-C., c'est-à-dire bien avant la date d'une présence humaine traditionnellement acceptée. Des temples immergés attesteraient la véracité de ces thèses.

Comme à l'habitude dans des cas semblables, les partisans de ces conjectures sont fortement récusés par la communauté scientifique officielle quasi unanime, ce qui ne signifie pas grand-chose en raison des erreurs fréquentes de cette dernière et des évolutions permanentes des théories sur notre Univers. Ces mises en cause condescendantes ne refroidissent pas l'enthousiasme de ceux qui sont persuadés de la fiabilité de cette découverte alors que la recherche de la mythique Atlantide resurgit de temps en temps.

CHAPITRE IV

COMMENT MALTE ENTRE DANS L'HISTOIRE... ET DANS LA BIBLE

Et c'est ainsi que paisiblement Malte pénètre dans l'Antiquité. Les intrépides Phéniciens, navigateurs issus des Cananéens de l'Ancien Testament, ne pouvaient passer à côté de l'archipel qui ferme les deux parties de leur mer de prédilection. Ils le découvrirent vers 730 avant J.-C., pense-t-on, et l'exploitèrent à grande échelle, lui donnant l'aspect minéral qu'il a aujourd'hui. En effet, s'ils y importent leurs dieux dont la déesse Tanit[1], leur alphabet, leurs céramiques et leur style d'habitat typique, ils dévastent les quelques forêts qui subsistaient pour construire ou réparer leurs navires.

Rhodes était déjà connue des Phéniciens comme escale commerciale. Dès lors, carrefour vital, situé idéalement pour les échanges internes à la Méditerranée, Malte devient à son tour l'un des points d'ancrage de ces Proche-Orientaux. Mais même remarquables et puissantes, les civilisations humaines croissent et meurent. La Phénicie qui se montrait plutôt envahissante eut à subir à son tour la pression des Assyriens et dut progressivement se replier vers l'Ouest où elle créa le magnifique fleuron de sa colonisation, Carthage. Toujours soumise à ces

---

1. Connue au Levant sous le nom d'Ashtart ou Astarté.

43

maîtres, Malte devint donc *de facto* une colonie punique dont le centre de décision passant de Tyr et de Sidon au Liban vers le rivage nord de la Tunisie se rapprochait considérablement d'elle.

Les Punico-Maltais choisirent comme sites principaux de vie une colline dans chacune des deux îles dominant le paysage dont ils firent des points fortifiés puis des citadelles : Rabat[1] de Malte et Rabat de Gozo[2]. Là, quelques millénaires plus tôt, des hommes avaient déjà aménagé des cavernes et élevé des habitations rustiques.

Carthage étant très proche (environ deux cents kilomètres, distance qui n'effrayait en aucune manière les marins-nés que furent les Punico-Phéniciens), l'influence levantine et égyptienne pénétra alors profondément à Malte, même si, à l'instar de maints conquérants, les Puniques mirent presque exactement leurs pieds dans les traces de leurs prédécesseurs. C'est indéniable pour le choix de l'implantation des villes principales et tout aussi avéré pour l'adoption des dieux ou plutôt des pratiques religieuses et des rites funéraires dont les sites furent systématiquement réutilisés[3]. Des édifices furent élevés qui sont clairement d'inspiration pharaonique tant pour leur style qu'en matière de décoration. Des bijoux en or ou en argent découverts tout comme certaines amulettes célèbrent le dieu Horus et la déesse Isis dont l'origine est incontestable.

La population s'accrut rapidement durant cette période. Les villages se multiplièrent, notamment le long des côtes, au fond des criques qui constituent des ports naturels contre les vents dominants. Prospères grâce au commerce avec les diverses cités puniques, ils manifestent que la bosse du négoce qui caractérise les Maltais contemporains ne date pas de la domination britannique...

---

1. En arabe, *rabat* signifie précisément caravansérail, auberge pour pèlerins donc fort, endroit fortifié.
2. Qu'avec outrecuidance, les Anglais baptisèrent Victoria, nom qui subsiste encore de nos jours.
3. Concomitance de la crémation et de l'inhumation.

Ce furent peut-être les Puniques qui donnèrent à Malte son nom actuel sous le terme de « Melita » qui pourrait signifier anse[1].

Mais on est loin de la sérénité entre Rome et Carthage. C'est l'hégémonie en Méditerranée qui est en jeu. L'animosité entre ces deux adversaires ne peut s'apaiser par enchantement en passant au-dessus de l'archipel posé entre eux. *Sed delenda est Carthago*, ainsi que le savent des générations de latinistes... Dès la première guerre punique (262-242 avant J.-C.), Malte apprend le poids de la puissance romaine.

C'est le consul Attilius Regulus qui porta la première estocade, envahissant et pillant les îles. Les Carthaginois repoussèrent ses hommes mais pas pour longtemps car, si l'on en croit Tite-Live, la flotte d'Hannibal, vaincue par les Romains en 218 avant J.-C., laissa le champ libre à ces nouveaux colonisateurs. En effet, Marsala, le port sicilien qui traitait avec Malte étant occupé par les légions, l'archipel tomba sous la bannière romaine.

Commença alors une longue période durant laquelle l'archipel maltais dépendit directement, administrativement, de la Sicile. Ces deux millénaires qui se terminèrent en 1798 par le débarquement de Bonaparte à La Valette et l'expulsion de l'Ordre semblent une éternité. Mais à l'aune de la très probable première occupation humaine qui, comme on l'a vu plus haut avait certainement pour origine des Siciliens, ce serait plutôt à cinq mille ans qu'il faudrait estimer la durée des relations sicilo-maltaises...

Désormais donc, Malte fait connaissance avec la romanité et se voit dotée d'une certaine autonomie administrative matérialisée par un pouvoir partiellement confié à une assemblée du peuple doublée d'un sénat. Basé en Sicile, à Marsala ou à Syracuse, le gouverneur-procurateur romain supervise les affaires la

---

1. Pour la plupart, néanmoins, l'origine (presque uniformément adoptée) serait plutôt latine et signifierait miel.

concernant. Le statut pratique de Malte et de Gozo évolue selon les siècles et les régimes qui se succèdent à Rome. Les aléas extérieurs vécus par la capitale de l'empire puis du consulat eurent un impact indirect sur Malte, mais jamais les rênes ne furent trop courtes pour la population peu demandeuse à vrai dire d'une autonomie totale.

Les Romains ne firent pas table rase du passé et chaussèrent les bottes toutes chaudes des Puniques. Tout d'abord, ils s'installèrent dans les villes existantes qu'ils agrandirent et aérèrent. Comme ailleurs, ils construisirent et plusieurs édifices répartis dans les deux îles témoignent du goût et du style si particulier ayant cours dans l'empire : villas aux murs et sols de marbre, bains décorés de mosaïques superbes, temples dédiés aux dieux, notamment Junon ou Apollon. Nombre de sculptures représentant soit les souverains, soit des citoyens éminents ont été exhumées. De même que des frises et des stèles mêlant le style romain avec la tradition égyptienne, ce qui montre que tout îlot soit-elle, Malte ne resta pas à l'écart des grandes modes religieuses et politiques du moment.

Sous leur domination, l'agriculture connaît un développement spectaculaire et des fermes équipées pour la production de lin, d'huile d'olive, de blé ainsi que pour le miel donnaient certainement à Malte un aspect beaucoup plus coloré et agreste qu'elle n'a aujourd'hui. L'extraction du sel, la pêche, peut-être l'art du vin aussi généraient des revenus pour les riches Romains qui entretenaient des métairies dans les îles, et des salaires pour leurs ouvriers.

Pour les habitants du cru, les usages funéraires et les croyances religieuses sont des acquis immuables. Ils ont du mal à adopter en totalité les pratiques des nouveaux venus, et les Romano-Punico-Maltais continuèrent à creuser dans le roc des tombes et des catacombes où, pieusement, ils abandonnaient leurs morts.

Des écrivains vantent le mode de vie à Malte dont Diodore, Ptolémée et quelques autres qui décrivent l'aisance et la facilité d'existence dans cette île « de lait et de miel ». Plus factuel comme toujours, Cicéron mentionne plusieurs fois l'archipel, louant la qualité de ses laines et de son coton, l'harmonie de ses bijoux mais déplorant que les pirates fassent fi de la souveraineté romaine et utilisent les nombreuses criques pour se refaire une santé avant de repartir à l'abordage des galères de son pays.

*

Doit-on prêter une foi aveugle au récit de l'évangéliste saint Luc qui, relatant l'envoi vers Rome de saint Paul prisonnier, indique qu'il fit naufrage sur les côtes maltaises en l'an 58 ou 60 de notre ère[1] ? En douter devant un Maltais est risquer l'anathème sinon la crucifixion... En tout état de cause, c'est sur un navire romain que saint Paul quitta Césarée alors qu'il venait de revendiquer la citoyenneté romaine (pour éviter ainsi d'être jugé et probablement condamné à Jérusalem puis à Césarée). Il était en effet accusé par les pharisiens d'être la cause d'émeutes qui avaient agité la colonie romaine de Judée.

Ce sont 276 personnes, comprenant, en sus de l'équipage, des commerçants veillant sur leur cargaison et des captifs allant demander l'arbitrage du tribunal impérial pour un différend, qui embarquèrent donc en plein hiver sur une coque de noix chargée par ailleurs de bon grain de Samarie à destination de l'Italie. Le navire sembla d'abord hésiter sur le cap à adopter, mais il parvint à atteindre Sidon puis Chypre et relâcha dans le port de Lystre[2].

Le chef de l'escorte, un centurion du nom de Julius, semble avoir entretenu les meilleures relations avec son déjà illustre captif, mais pas au point de lui déléguer un pouvoir décisionnel. Les vents se montrant soudainement plus que capricieux, l'embarcation se réfugia dans un petit port crétois, et saint Paul

---

1. Actes des Apôtres XXVII-XXVIII.
2. Peut-être Myre car Lystre ne peut être repéré sur les cartes. Mais l'erreur de saint Luc ne prête pas à conséquence.

47

tenta de convaincre l'équipage qu'une hibernation dans ce havre proche de Thalassa serait judicieuse. Plutôt circonspect, ou impatient d'accomplir sa mission, le chef de bord décida d'appareiller quand même et, pris dans une tempête violente, le navire et ses passagers terrorisés dérivèrent pendant quatorze jours pour finalement, épuisés mais ravis de s'en tirer à si bon compte, se jeter sur une plage d'une île appelée Melite.

Médecin et connaisseur des âmes, saint Luc, dans ses écrits, détaille le moral des passagers, affirmant que tous étaient déjà convaincus que leur dernière heure était programmée.

Cette issue miraculeuse, où nul ne perdit la vie en dépit des conditions extrêmement difficiles qu'ils avaient traversées, fut bien sûr mise au crédit de l'intercession du saint qui partagea leur épopée. Mais celui-ci ne s'arrêta pas en si bon chemin. Car à peine accueilli par les « barbares[1] » habitant l'île qui allumèrent un feu pour réchauffer les naufragés transis, il fut piqué par une vipère sortie du bois brûlant dans le brasier. Son indifférence à la morsure mortelle sidéra les témoins qui le considérèrent avec la déférence et la crainte que des gens simples éprouvent pour un être doté de pouvoirs surnaturels. Déjà auréolé de cette image, il s'empresse de guérir de la dysenterie et des fièvres le père de Publius, gouverneur romain de l'île. Puis, dans la foulée, il soigne les habitants attirés par ses pouvoirs qui se pressaient à la porte de sa prison. Bien qu'étroitement surveillé par les autorités[2] avant que ne puisse revenir un autre bateau pour lui faire achever son périple, saint Paul sut convertir un nombre suffisant d'îliens pour que la foi chrétienne s'enracine à jamais sur ce petit territoire. Il les baptisait de l'eau d'un puits sacré dont l'empla-

_____

1. Là réside le point crucial pour l'identification du lieu de naufrage car les historiens se montrent sceptiques sur la trajectoire insolite du navire. Barbares à cette époque signifie principalement ne s'exprimant ni en grec ni en latin. Or un autre îlot de l'Adriatique, Meleda, semble remplir davantage de conditions pour avoir été ce point de chute.
2. On peut visiter, sous l'église de Rabat, la grotte où les Maltais sont persuadés qu'était détenu le saint.

cement reste hypothétique, ce qui n'empêche pas que Malte voue au saint un culte qui ne se dément pas et sert même de pierre angulaire à l'Église d'aujourd'hui mais hélas aussi à de multiples superstitions. Parmi elles, la croyance que la terre de la grotte de saint Paul à Rabat est un antidote du poison ou que de simples dents de requins fossilisées seraient des serpents changés en pierre...

Finalement, saint Paul débarqua à Rome et après un procès expéditif fut décapité – selon certains – en l'année 67. Là encore, Néron reste à la hauteur de sa sadique réputation...

Mais est-ce bien Malte qui eut l'insigne privilège de recueillir le saint et ses compagnons après une saga aussi éprouvante ? Et le christianisme profondément enraciné dans la culture maltaise est-il d'origine paulinienne ?

Un nombre significatif d'historiens se sont penchés sur le sujet, en tentant d'analyser les maigres données dont ils pouvaient disposer. La météorologie d'abord, car deux semaines de vent violent soufflant de l'Est n'est pas courant. La topographie, même si elle est sommairement rapportée, peut aider les uns et les autres à illustrer leurs thèses. Et les diverses relations de cet incident restent peu précises.

Des études très doctes mettent Malte en compétition avec le cap d'Argostoli dans l'île grecque de Céphalonie. D'autres citent Capri alors que la théorie la plus séduisante (arrivant après celle de Malte cependant) milite pour l'île dalmate de Meleda. Chacun des défenseurs de ces thèses opposées apporte bien sûr des arguments « en béton ». Mais les Maltais ne tentent pas même d'arbitrer entre les savants d'Oxford, de Tübingen ou l'Église orthodoxe grecque. Pour eux, puissamment appuyés par la prise de position officielle du Vatican[1], c'est sur l'îlot rocheux, à portée de voix de la petite ville côtière

---

1. De mauvais esprits prétendent que l'appui fourni par les autorités ecclésiastiques catholiques n'est pas étranger à la rivalité avec l'Église orthodoxe car, bien sûr, si c'est Meleda qui l'emporte, c'est simultanément l'Église de Rome qui perd...

portant aujourd'hui le nom du saint, que le fameux naufrage a eu lieu. Car Paul leur a fait le présent inaliénable de constituer leur identité. Si les Maltais n'ont jamais été réellement conscients d'être maltais, en revanche, le fait d'adhérer à la foi catholique fait partie de leur instinctive fierté. Et celle-là découle automatiquement du fait d'avoir été directement « choisie et évangélisée par un saint de la stature de Paul »... Le culte de saint Paul est omniprésent et vital. Jusqu'en 1700, on édicte des lois au nom de Dieu et de saint Paul...

*

Le splendide ouvrage du XIIIe siècle connu sous le nom de Bible moralisée dont la Bibliothèque nationale conserve précieusement un exemplaire[1] avait été offert au roi Louis IX. En quatre volumes, elle est illustrée de plus de 5 000 enluminures sous la forme de médaillons réunis par groupe de deux ou quatre. On en retrouve d'ailleurs certains sur les vitraux de la Sainte-Chapelle à Paris. Les épisodes du naufrage de saint Paul figurent dans le troisième volume en un ensemble de 40 illustrations dont la moitié interprète le texte biblique et le reste, les implications morales de cet événement.

Chaque groupe de vingt enluminures est absolument magnifique, qui déroule les principaux moments précédant et suivant le naufrage pour l'un et pour l'autre, et met en scène des clercs dans des églises commentant doctement ce passage des Actes des Apôtres.

Significativement, l'île sur laquell, dans ces enluminures, le saint échoue n'est pas notre Malte, mais un îlot plus proche de la Sicile. Probablement disent les exégètes parce que, à l'époque de la rédaction de ces commentaires bibliques, Malte était encore musulmane...

Imperturbables, les Maltais ne se préoccupent pas de ces

---

1. Au même titre que le British Museum et la bibliothèque Bodléienne.

détails. Ils ne doutent pas une seconde que c'est leur île qui eut l'honneur de recevoir ainsi la visite de l'éminent saint. Et à La Valette, dès son érection comme capitale de Malte, une église fut dédiée non pas à saint Paul, mais au naufrage de saint Paul. Chaque année, le 10 février, l'incident est commémoré par une magnifique procession dans les rues de la ville.

CHAPITRE V

BYZANTINERIES, ARABESQUES

Après des siècles de vigueur, mais aussi des crises politiques, des guerres et des générations d'administrateurs, l'immense Empire romain se disloque. Rome est entrée en décadence mais, à l'évidence, Malte suit le train sans en être bien consciente, car la prospérité ne se dément pas jusqu'au IVe siècle. La paix sociale sous la sereine protection des faisceaux des licteurs[1] continue à être assurée. La foi chrétienne s'étend mais n'est pas pour autant la seule ayant droit de cité dans l'archipel. Car elle continue à cohabiter avec le culte de l'empereur et des textes gravés à cette époque sur des pierres célèbrent deux césars, Sévère et Maximien.

Des objets découverts dans des tombes païennes et chrétiennes indiquent une nette influence africaine ainsi que la présence d'une colonie juive qui aurait pu fournir aussi quelques catéchumènes à un christianisme triomphant. Un processus d'hellénisation est décelable grâce aux inscriptions en grec dans certaines catacombes. Ce qui fait de Malte, soumise à de multiples influences concomitantes, un carrefour de civilisations presque inégalé en ce monde.

---

1. Verges attachées en faisceaux et portées devant les magistrats en déplacement. Elles sont destinées à fouetter en public les contrevenants. Mais, avec le temps, leur usage devient plutôt symbolique.

Ce déclin romain permit à des envahisseurs pleins d'appétit et de courage de s'infiltrer dans le *limes* latin moins bien défendu que le cœur de l'Empire lui-même. Des Vandales venus de Tunisie ont probablement «visité» Malte aux environs de 450, puis les Ostrogoths, qui eux venaient de l'Est comme l'indique leur nom, les supplantèrent une vingtaine d'années plus tard. L'Église chrétienne ne semble pas avoir souffert de ces incursions plus ou moins durables car l'évêque Victor de Vita en Numidie[1] visite à cette époque des propriétés de l'Église sises dans les deux îles maltaises, ce qui est confirmé plus tard par des documents datant de Grégoire le Grand. Des accointances voire une dépendance étroite sont avérées entre les Églises africaines et celle de Malte tant grâce aux objets nombreux découverts dans les tombes que par les cimetières. On retrouve la tradition commune des tables de banquet[2]. Bien qu'interdites[3] en raison de dérives abusives, ces pratiques continuèrent en secret autant en Afrique du Nord qu'à Malte où l'évêque, Lucullus, est suspendu par le pape pour des collusions répétées avec les hérétiques donatistes.

Ces tribulations n'empêchèrent pas l'histoire de suivre son cours et les Byzantins s'approprient Malte en 533, puis toutes les îles du sud de l'Italie continentale vers 535. Dans son *Bellum Vandalicum*, Procope rapporte avec certains détails que le fameux général Bélisaire y débarqua et installa *manu militari* un évêque sur ce territoire. La perméabilité au monde

---

1. Le royaume numide avait vécu en 46 avant J.-C. quand il fut conquis par les Romains. Saint Augustin (354-430) est évêque d'Hippone (Bône) alors que les Vandales envahissent l'Afrique du Nord (429). Puis arrivent les Arabes en 680 qui réduisent considérablement le pré carré chrétien.
2. La coutume de «gueuletonner» après des funérailles est assez répandue dans le monde, y compris dans les campagnes françaises. Mais il semble qu'à Malte les us du *triclinium* poussaient probablement le bouchon un peu trop loin pour une Église soucieuse d'honorabilité.
3. Concile de Trullo en 692.

grec a dû préparer et faciliter cette mainmise mais, en tout état de cause, ce fut comme un raz de marée qui envahit la liturgie et le style architectural des églises et des communautés religieuses. Il semble que ces Byzantins aient davantage influencé les rites religieux que les domaines administratif ou militaire même s'ils restèrent dominants pendant trois siècles et demi. Trop éloignée de Byzance, aux marches de l'empire, Malte resta à l'écart des turbulences notamment doctrinales qui affaiblirent cette autre capitale de la chrétienté. Il convient de noter cependant qu'en 756 l'évêché résidant, et jusque-là dépendant de Rome, fut rattaché au Patriarcat de Constantinople sans qu'on sache la raison de cette insultante « sanction ».

Siège d'une modeste garnison militaire, Malte sembla un moment plutôt dévolue à la garde de prisonniers politiques expédiés se rafraîchir les idées loin du lieu de leurs méfaits. L'ancêtre méditerranéenne de la Guyane en sorte... C'est ainsi qu'on relate que Théodore – neveu de l'empereur Héraclius – se retrouva un jour de 637 sur l'île : avant sa déportation on lui avait sectionné le nez et les mains, on lui coupa en plus un pied en guise de bienvenue sur l'île... Autres temps, autres mœurs...

Malte se trouva en première ligne lors de l'avancée foudroyante des cavaliers de l'islam, lorsque, expulsés, des chrétiens égyptiens et libyens débarquèrent sur ses rivages. Puis les pirates musulmans vinrent explorer les îles et détruire quelques chapelles au passage.

On sait qu'en Sicile et en Calabre, les Byzantins élevèrent des forteresses pour protéger les habitants et surtout les ports qui assuraient le trafic maritime si important pour l'écoulement des marchandises exportées.

L'île byzantine de Malte a-t-elle participé de cette militarisation contre les envahisseurs musulmans ? Il semble que oui même si la priorité est ailleurs afin de sauver des coups de boutoir les éléments essentiels que sont la Sicile et la côte orientale de l'Italie.

En tout état de cause, la prise de Palerme en 831 sonna le glas des possessions byzantines en Méditerranée centrale. Il est vrai que l'éperon rocheux de Taormine fut plus difficile à enlever car il ne tomba qu'en 902. Plus vulnérable, Malte et Gozo furent attaquées dès 869 et conquises définitivement l'année suivante. Les Arabes ne firent pas dans la dentelle car ils démantelèrent nombre de lieux de culte infidèle, pillèrent tout ce qui avait de la valeur, rasèrent presque la forteresse de Mdina[1], bastion principal des Byzantins. Ils massacrèrent une partie importante de la population locale, en déportèrent une autre. Les survivants prirent tout naturellement place sur les galères ainsi que c'était l'habitude en ces temps cruels.

Grandiloquentes et probablement plus épiques qu'historiques, des sources arabes célèbrent les représailles implacables contre les chrétiens maltais, mentionnant même qu'après le passage de l'islam, seuls survivaient dans les îles les ânes et les chèvres... Peut-être les humains échappés au massacre ou à l'esclavage se terrèrent-ils comme des bêtes dans les cavernes troglodytiques visibles dans la campagne?

Ce qui est vrai en tout cas, c'est que cette invasion marque un tournant indubitable, une rupture très nette avec la période antérieure: tout est arabisé, et le christianisme semble complètement éradiqué.

L'aube d'une nouvelle période se lève, celle de l'islam, qui dure jusqu'en 1091, date de l'arrivée des Normands, c'est-à-dire plus de deux cents ans...

*

De cette occupation musulmane, amplifiée par le Grand Siège cinq siècles plus tard date la fêlure qui existe encore de nos jours entre les Maltais et les Arabo-musulmans. Certes, la

---

1. Attesté par une inscription sur le château fort de Sousse sur la côte sud de la Tunisie, qui affirme: «Les pierres et le marbre de ce château proviennent de la conquête de Malte»...

proximité géographique avec la Tunisie et la Libye impose des relations de tous ordres, et surtout commerciales. Mais celles-ci, qui sont souvent ailleurs le prélude à une compréhension puis une complicité et enfin une amitié entre les peuples, n'ont jamais réellement provoqué cette évolution du côté maltais. Les Maltais s'acharnent à nier l'apport arabe dans leur culture, mais plus encore dans leur sang. Pourquoi les Arabes, jeunes hommes détenant le pouvoir de surcroît, seraient-ils restés indifférents au charme des Maltaises survivantes ? Et si les relations historiques mentionnent le massacre des Maltais, il est évident que les femmes furent utilisées à d'autres fins comme toujours en ces circonstances.

Ce phénomène de mélange des races s'est poursuivi, à un degré moindre et malgré les anathèmes puisque plus tard, une nombreuse population de captifs arabes évoluait quasi librement dans les rues de La Valette.

Mais ceci est une autre affaire sur laquelle nous reviendrons en son temps. Il est maintenant utile de comprendre les raisons de cette hostilité atavique en passant en revue les événements marquant ces deux siècles arabes.

Désertées ou non, les îles furent repeuplées à partir de 1040 (ou se repeuplèrent naturellement), mais la domination arabe prit un ascendant dans tous les domaines. Tout comme en Sicile, elle aussi totalement occupée par les musulmans, la vaisselle, les amphores, les céramiques, tout l'art et l'utilitaire reflètent une origine et une inspiration indiscutables, l'arabe. Les formes, la décoration, les matériaux utilisés, tout indique soit une importation, soit la fabrication sur place avec des produits du monde arabe.

Le virage radical imposé par l'occupant s'illustre de deux manières. D'une part, tous les noms de lieux prennent une consonance arabe, exemple rare, car, quelles que soient les contrées où on examine la toponymie, les lieux-dits conservent toujours un indice du passé ancien.

De l'autre, et c'est fondamental, la langue vernaculaire, idiome vivant et uniformément parlé sur place, le maltais (aujourd'hui codifié tant dans sa grammaire que pour l'écriture[1]), est profondément altéré par le parler du vainqueur. Semblant avoir eu du mal à prononcer certaines syllabes, celui-ci a fait table rase du langage qu'il a trouvé sur place. Depuis, d'autres mots, italiens, français, anglais, sont venus renforcer cet apport initial massif[2].

Malte, semble-t-il, perd sa tradition agricole, les Arabes étant moins portés sur le labourage que sur l'exploitation du sous-sol, et des quelques dernières forêts laissées par les Phéniciens ou replantées depuis. Cependant, ce sont ces nouveaux colons qui ont introduit dans les deux îles la culture des agrumes dont l'orange a fait beaucoup pour la réputation de Malte. Le coton, plante typique de la vallée du Nil, est introduit par la même occasion et bénéficie d'un climat favorable. Surtout, accoutumés à une agriculture sèche, les Arabes savaient économiser et utiliser l'eau précieuse... et la stocker dans des citernes encore visibles. Certes, l'élevage conserve des droits traditionnels : il existe tant de terres incultivables que la concurrence avec les agriculteurs ne devait pas être vive.

La vocation commerciale maltaise due essentiellement à sa position centrale se développe. Les échanges s'effectuent désormais davantage dans le sens Nord-Sud que vers l'Orient méditerranéen. Malte sert très probablement de centre de stockage pour une réexportation plus fine et de détail[3].

Comment les Maltais, nouvelles générations ou anciens survivants de ce génocide, ont-ils vécu cette dure et complète rupture avec leur culture ? Tout d'abord, il est plus que probable que la brutalité initiale des Arabes n'a pas laissé beau-

---

1. Bien que d'origine arabe à 70 %, le maltais s'écrit de gauche à droite et en lettres latines.
2. Cf. chapitre XXI, « La langue maltaise ».
3. Ce que l'on retrouve à la fin du XXe siècle avec la création du port franc où arrivent d'énormes porte-conteneurs qui débarquent leurs milliers de boîtes avant qu'elles ne soient replacées sur des bateaux plus petits en direction des ports de toute la Méditerranée.

coup de place pour une contestation quelle qu'elle soit. Ceux qui furent autorisés à rester chez eux devaient se terrer et ne pas oser lever la tête. Plus tard quand s'est normalisée l'occupation, les autochtones se sont probablement rebellés contre un occupant alors moins omniprésent ou déjà avachi dans les délices de la routine et du confort. Car, à l'exception des Vénitiens, des marins génois (on ne peut encore compter sur l'ordre de Saint-Jean qui lutte à Jérusalem), peu nombreux étaient les adversaires des vainqueurs arabes dans cette partie du monde capables de les inciter à rester sur le qui-vive.

Qu'ont pu faire les indigènes pour tenter de préserver leurs fondements identitaires et un minimum de liberté politique ? Ont-ils résisté comme en 1798 contre les Français de Bonaparte ou ont-ils accepté et partiellement assimilé les colonisateurs à l'instar de ce qui s'est passé après avec les Britanniques ? On peut en effet se poser la question car nous sommes mieux placés pour envisager ces deux différentes réponses. Il n'existe pas de preuve de rébellion ouverte avec guérilla et harcèlement des musulmans à cette époque. De plus, en l'absence de meneurs ou de colonne vertébrale que constitue l'Église par exemple, il est douteux qu'un mouvement organisé ait pu voir le jour. Il est probable que le christianisme a continué de vivre en catacombes pour les plus obstinés et dans le secret des cœurs pour ceux qui adoptèrent un islamisme de façade. Chez les esclaves chrétiens quelques émeutes sporadiques, probablement brisées dans le sang et les larmes, ont éclaté, mais sans mettre en péril la domination arabe.

Toujours est-il que la fin de partie tant attendue des Maltais est sonnée à Rome. Le pape passe à la contre-offensive et décide de mettre un terme aux reculades répétées de ses fils. Il mande pour ce faire un Français nouveau venu dans la région et lui confie le soin de rejeter l'Infidèle.

CHAPITRE VI

NORMANDS, ESPAGNOLS... ET AUTRES PRÉDATEURS

Comme on l'a vu, les Sarrasins qui avaient expulsé les Grecs de Sicile en 827, s'étaient progressivement emparés de toute l'Italie menaçant même les États de l'Église. En 1016, Tancrède de Hauteville, duc normand, accède à la demande du souverain pontife en conquérant la Sicile où il installe un royaume vassal du Saint-Siège, le royaume de Sicile. La lignée normande devait régner sur cet État indépendant jusqu'en 1266 quand elle est remplacée par la dynastie angevine dirigée par Charles Ier, frère du roi Saint Louis.

Qui étaient ces Normands venus Vikings du nord de l'Europe, peints quelque temps en bons Normands et se retrouvant rois de principautés de l'extrême sud du continent ?

Hommes du froid, hommes du Nord donc (comme l'atteste le nom que les Français leur donnent, *nordr mannr*), se qualifiant aussi de guerriers de la mer, pirates (ce que signifie Vikings), ils commencent par piller Noirmoutier vers 799, Rouen (841), prennent Orléans, assiègent Paris et Chartres, puis en 911 acceptent le baptême et se reconnaissent vassaux du roi de France.

C'est à Hastings en 1066 comme on le sait, que Guillaume Ier le Bâtard ou le Conquérant, c'est selon, bat à plate couture son rival anglais Harold et monte sur le trône d'Angleterre. Des dissensions entre frères et cousins surviennent en Normandie, coïncidant avec la ruée vers la Terre sainte en croisades successives où partent volontiers les ducs de Normandie. Et c'est pour s'assurer une étape solide sur le chemin de Jérusalem que les Normands songent à expulser les Arabes du sud de l'Italie et de Sicile. De fait, les intentions du pape qui les manipulait quelque peu étaient secrètement de couper l'herbe sous le pied des Byzantins qui envisageaient alors de reconquérir l'empire d'Occident...

C'est à l'un des héritiers de Tancrède, Roger de Normandie, que revient en 1090 la gloire de prendre la domination politique de Malte et de réinstaller pour toujours le christianisme dans l'archipel. Certes, selon les modes opératoires du moment, l'attaque est brutale et dans Mdina, la capitale maltaise assiégée, les Normands ne font pas de quartier. Mais une fois libérés les esclaves chrétiens, reconnue sa souveraineté sur l'île, accepté le tribut offert par les Arabes, s'en fut Roger sans autre forme de procès. Son « libéralisme » d'avant la mode le poussa à ne laisser aucune garnison derrière lui et à accepter une présence résiduelle des Arabes qui, semble-t-il, n'ont en rien modifié leurs habitudes.

Une seconde reconquête que mène cette fois son fils Roger II en 1127 est nécessaire mais tout autant que la première elle est davantage un raid mené à partir de la Sicile qu'une occupation suivant la déroute des ennemis. En effet, ayant payé un tribut qui leur permettait de rester, les Sarrasins s'incrustent car en 1175, lorsqu'un évêque de Strasbourg visita l'île, il trouva toujours installée et prospère une nombreuse colonie d'Arabes. La situation perdura au point que certains historiens de cette période concluent qu'en définitive, Malte n'a été normande que par le nom et la suzeraineté formelle, mais sans impact sur la société.

Des légendes touchantes courent encore aujourd'hui, affirmant que la cathédrale de Mdina a été construite par les Normands et qu'ils sont les inspirateurs du drapeau national maltais, deux bandes rouge et blanche égales et verticales. Rien ne peut le prouver sauf que le rouge et le blanc sont bien les couleurs du duché de Hauteville sur lesquelles, semble-t-il, l'Ordre en arrivant à Malte a fixé sa célèbre croix pour en faire son emblème. Mais, une fois de plus, cette croyance populaire fournit au peuple les soubassements nationaux et patriotiques dont il a besoin.

Jusqu'en 1249, les trois religions monothéistes cohabitent harmonieusement dans l'archipel et les musulmans sont loin d'être minoritaires comme le prouvent le nombre de leurs tombes datant de cette époque. Puis l'empereur Frédéric II décide que c'en est assez et que les infidèles de Sicile et de Malte doivent se convertir ou quitter les lieux. Si les statistiques existaient, elles donneraient peut-être le chiffre important de ceux qui préférèrent, par opportunisme ou sens de la survie, modifier leurs coutumes en adoptant le dimanche à la place du vendredi... Subsistent des Said et des Felice, qui tous deux signifient «heureux», mais qui surtout indiquent les allers et retours entre les deux religions d'individus et de familles qui, soucieux de survivre, s'alignèrent sur les porteurs du manche.

Plutôt démolisseurs que bâtisseurs, les Normands ne laissent aucun héritage architectural derrière eux. Leur domination douce sur Malte s'achève en 1194, passant aux mains des Souabes dans la corbeille de mariage d'une Normande avec Henri VI.

Cette tutelle tolérante pour l'époque et peut-être prémonitoire des temps modernes ne laisse que peu de cicatrices sinon par le retour durable du christianisme. Mais, pour les Français, elle marque une première étape de leur présence sur l'île qui se continuera par les Angevins et surtout par l'ordre de Saint-Jean resté toujours éminemment français.

Les îles tombèrent ensuite de Charybde en Scylla si l'on peut utiliser ce pastiche[1] facile. Des pirates fameux en firent leur

---

1. En effet, les deux rochers qui ont tant effrayé les marins sont plantés quelques kilomètres au nord à une encablure de Reggio de Calabre.

base de laquelle ils appareillaient pour écumer la mer. La maison d'Anjou succéda aux Souabes et positionna une garnison de soldats angevins qui laissèrent cependant les pirates opérer. Cette permissivité valut à Gozo d'être pillée en représailles par les Génois qui appréciaient peu que leurs navires soient rançonnés à partir de Malte.

Les émeutes des Vêpres siciliennes chassèrent les Angevins de la grande île et donc aussi de Malte qui se réjouit de voir disparaître une dynastie qui ne s'était intéressée à elle que pour la contraindre et lui extorquer des trop lourdes taxes. Charles d'Anjou, le second souverain français à avoir régné sur Malte, ne se maintint que de 1266 à 1282, moins de vingt années...

Devenus des pions ou des ballons dans les mains des grandes puissances de l'époque, de qui les Maltais furent-ils les proies dans les décennies qui suivirent ? Certes les Espagnols, Aragonais et Castillans qui unirent enfin les deux îles à leur royaume directement ou via la Sicile, demeurèrent les souverains nominaux pendant les deux siècles suivants. Mais la loi peu enthousiasmante des pirates, les luttes intestines pour la succession ou motivées par les jalousies au sein de la maison d'Aragon, les représailles des uns aux actions des autres, les pillages, enlèvements, taxations pour le rachat des captifs, toutes ces tribulations devinrent le pain quotidien des Maltais.

Gozo est vidé de ses habitants en 1429 par les Barbaresques tunisiens en besoin permanent de rameurs et de compagnes... Juste après avoir obtenu du roi Alphonse d'Espagne, en compensation de la cruauté qu'un de ses princes lui faisait subir, une charte qui la pose comme « la pierre précieuse de la couronne », Mdina la capitale est mise à sac en 1426, assiégée en 1429 par une horde de 19 000 Barbaresques (c'est-à-dire Nord-Africains). Pleinement sûrs de leur coup, ils provoquent les défenseurs en leur jetant du pain. Devant la réaction des Maltais qui le leur renvoient tartiné de fromage, les Sarrasins plient bagages... pour une fois. Birgu est presque démoli en 1488, Mosta saccagée en 1526...

Que ce soient les Turcs, les Siciliens ou d'autres, ce furent constamment les Maltais qui payèrent les pots cassés pendant les querelles des plus puissants qu'eux. D'autant que les Ottomans reprenaient du poil de la bête et que les Espagnols leur faisaient la vie dure, presque toujours sur leur dos.

De piètres consolations viennent parfois les égayer. Par exemple en 1292, ils furent au spectacle quand une bataille navale entre Angevins et Aragonais eut lieu sous leurs yeux au milieu du Grand Port.

Les années passaient cependant et Charles Quint proclamé roi d'Espagne et des Deux-Siciles et donc de Malte en 1516 fut sollicité par le grand maître de l'ordre de Saint-Jean et octroie l'archipel aux chevaliers hospitaliers. C'était donc en 1530...

CHAPITRE VII

LE NOMBRIL DE LA MER

La période qui s'achève en 1530 marque un tournant décisif pour Malte. Non seulement elle quitte une « préhistoire » troublée et incertaine, marquée par des attitudes violentes et peu compatibles avec la sérénité dans laquelle doivent exister les États raisonnables. Mais l'arrivée des chevaliers la fait entrer de plain-pied dans l'Europe. Certes, le destin européen de Malte peut s'affirmer par son étroite association avec la Sicile dont personne ne conteste l'européanité. Mais la position géographique de cette grande île aux confins de deux continents « incompatibles », le comportement de ses habitants dont le moins qu'on puisse dire est qu'il est moins rigoureux que celui des gens du Nord, et surtout le jeu des grandes puissances qui se renvoient la balle sicilienne pendant des siècles peuvent faire douter de la vocation de la Sicile.

A fortiori pour Malte qui, sise nettement au sud de Tunis, nichée dans le golfe de Syrte, peuplée, envahie, occupée aurait très bien pu tomber de ce côté méridional de la Méditerranée tout comme des myriades d'îles, à portée de voix du continent asiatique, le long des côtes turques, sont demeurées sous la juridiction d'une Athènes plus lointaine. L'adoption d'une religion « occidentale », la race de ceux qui l'ont peuplée initialement, le rapport de forces entre Méditerranéens, tout a joué pour cette option européenne. Seul bémol de taille : une fois de plus, les Maltais n'ont pas été invités à faire entendre leur voix...

Mais il est indubitable que l'arrimage de l'archipel à l'Europe s'est définitivement opéré par son adoption par l'ordre de Saint-Jean qui l'a tiré puis placé dans cette orbite pour toujours.

Il est à noter que cette alternative a été remise en question beaucoup plus tard car le colonel Kadhafi, tonitruant dirigeant libyen, a par deux fois tenté d'amarrer à son bateau africain[1] cette île qui le narguait à quelques miles de ses côtes. À contre-courant du sens de l'histoire...

Sa situation géographique a fait de Malte le nombril de la Méditerranée, position successivement enviable et redoutable car incontournable pour ceux qui veulent assurer leur hégémonie ou empêcher les autres de les dominer.

*

Mais retrouvons le bon baron d'Abela que nous avons laissé ébahi sur les hauteurs de Birgu, contemplant la flotte de l'Ordre qui venait de pénétrer dans le Grand Port.

Comment expliquer tout d'abord que ce notable éminent n'ait pas été informé de l'attribution de sa patrie à une nouvelle puissance étrangère ? Figurant pourtant parmi les plus anciennes familles nobles de Malte[2] car son titre héréditaire

---

1. Assertion encore répétée en avril 2004 lors d'une visite du président maltais. Le dirigeant libyen affirme : « Avec les Maltais dans l'Union européenne, nous disposons d'une antenne en son sein... »
2. La noblesse maltaise avait été fondée par le comte Roger de Normandie qui, en 1090, libéra l'archipel des mains arabes. Les ancêtres de ces aristocrates furent tous des compagnons du comte, soit Normands, soit Siciliens, auxquels, en récompense de leurs loyaux services, le souverain octroya des portions de cette terre ingrate sur laquelle ils s'établirent et les titres avenants. Dupliquant ce qui existait en Normandie, Roger divisa la population de son nouveau royaume en barons, nobles, chevaliers, citoyens et paysans. Plus tard, sous l'impulsion des dynasties sicilo-napolitaines, furent nommés des comtes, des ducs et

avait été octroyé en 1372 par Frédéric d'Aragon roi de Sicile et de Malte, il aurait dû être dans le secret des dieux.

L'administration des îles leur était en effet confiée par délégation du roi des Deux-Siciles en un conseil composé exclusivement de quelques-uns d'entre eux[1].

Mais quoique assez aisé, soit parce que les jeux du pouvoir ne l'intéressaient pas, soit en raison de sa préférence pour la compagnie des petites gens, Abela n'appartenait pas au conseil populaire. Ce qui explique partiellement sa stupeur en cette soirée de juin 1530.

Mais il est probable que le conseil lui-même fut laissé à l'écart de cette décision vitale. Il n'était pas, en effet, dans les mœurs du temps de prendre le pouls des populations des provinces passant d'une suzeraineté à l'autre, ce qui, à dire vrai, aurait été une occupation à plein temps tellement cette pratique était courante. De surcroît, l'empereur Charles Quint, qui pourtant sait ne pas prendre de gants quand il le faut, a dû préférer imposer un fait accompli plutôt que de négocier tant avec Naples, la suzeraine de droit de Malte, qu'avec les Maltais eux-mêmes.

Car, à l'évidence, le royaume des Deux-Siciles fit grise mine en apprenant l'amputation dont il était l'objet. Quant aux habitants de l'archipel, ils auraient pu exiger des compensations pour une modification non désirée de leur statut, et peut-être opposer une certaine résistance aux nouveaux arrivés.

Car tout comme l'aristocratie, il s'avère que la population

---

des marquis qui, pour la plupart, purent transmettre leurs titres et leurs propriétés à leurs enfants. Quatre-vingt-une familles pouvaient prétendre à un titre nobiliaire lors de l'arrivée des chevaliers. Ces nobles devaient observer des règles précises dont celle du service militaire pour lequel ils devaient fournir un cheval et l'octroi d'un tribut annuel en argent ou en victuailles.

1. Si, comme on le verra plus loin, l'ordre de Saint-Jean freina énergiquement l'entrée de Maltais comme chevaliers de grâce, il n'hésita pas, principalement pour des raisons financières car il faisait payer un substantiel droit d'entrée, à anoblir plusieurs Maltais qui vinrent donc renforcer la cohorte des nobles notables de l'île.

montre un enthousiasme pour le moins limité lorsqu'elle découvre qu'elle passe sans la moindre concertation sous la coupe de l'Ordre.

Qu'était cette population à l'orée de cette ère nouvelle ? Comme on l'a vu, les rapts, l'esclavage, les importations de colons, les famines, les épidémies et les guerres en avaient sensiblement fait évoluer le chiffre et le sang. Son existence au milieu des rochers quasi stériles que sont Malte et Gozo[1] couvrant une superficie de moins de 400 km² (316 exactement) est difficile. Le sol étant constitué d'un calcaire friable et blond qui ne retient pas l'eau, l'archipel est partiellement recouvert d'une mince couche de terre arable[2], d'une végétation rabougrie et, on en a vu la raison, presque dépourvu d'arbres. La moindre parcelle de terrain est utilisée pour l'agriculture ou la pâture ; les pentes sont (comme au Yémen ou au Népal aujourd'hui encore) coupées par des murets de pierres sèches, et les bandes étroites qu'ils supportent dûment cultivées.

Le climat est très nettement nord-africain car la latitude (35°5 Nord) est celle de Sousse sur le golfe d'Hammamet en Tunisie, ce qui explique que les doubles récoltes sont possibles quand le ciel se montre clément en pluie. En 1530, les oranges sont si réputées que les cours royales dont la française bien sûr en raffolent : c'est la principale exportation de l'île. L'Ordre insiste dans ses archives sur la pauvreté insigne des Maltais à son arrivée, mais c'est certainement pour mettre en valeur ses mérites et ses prouesses pour élever le niveau de vie des habitants[3].

---

1. Auxquels, pour être précis il faut ajouter l'îlot de Comino qui est habité par une ou deux familles seulement, mais occupe, entre les deux îles principales, une position stratégique.
2. Auparavant c'est incertain, mais on sait à coup sûr que les chevaliers ont importé de la terre de Sicile, et leurs successeurs le font encore aujourd'hui.
3. Un indice de la richesse – relative – des Maltais est l'importance des

Celui-ci est fondé essentiellement sur le commerce, y compris des pierres du sous-sol très recherchées pour la construction, mais même s'ils ne parviennent guère à assurer leur autosuffisance alimentaire, leur production agricole n'est pas négligeable en blé, légumes, fruits comme les figues et un peu d'élevage caprin.

Quand débarquent les chevaliers, l'archipel compte près de 30 000 habitants dont la totalité des notables porte des noms d'origine italienne ou espagnole (et s'exprime en latin ou en roman pour ses contacts avec l'extérieur), et la majorité est analphabète, ne parle que l'arabo-maltais et arbore des patronymes de consonance arabe. Une grande partie de la population est catholique pratiquante et il existe une centaine d'églises et de chapelles[1]. Les juifs expulsés en même temps que leurs coreligionnaires espagnols en 1492 sont absents alors que la communauté musulmane, essentiellement des esclaves et des captifs en mal de rançon, s'élève peut-être à un millier[2].

Tout homme étant essentiellement conservateur, on pourrait expliquer ainsi la grogne des Maltais devant le fait accompli de la prise de possession de leur territoire par l'Ordre ; mais il y a davantage que la prudence des grenouilles avisées qui ne demandent pas un nouveau roi. Le passé tumultueux avait prouvé à leur corps défendant que l'on n'est jamais mieux que lié directement au vrai potentat, et que dépendre de saints plutôt que de Dieu est la source de nombreux ennuis : chaque fois que le roi d'Aragon faisait cadeau de l'archipel à quiconque, le résultat s'était révélé désastreux.

Croyant naïvement que les escudos (ou scudi) ont tous les pouvoirs, ils avaient payé le prix fort l'assurance que le roi

---

tributs et des rançons qu'ils ont versés pendant les siècles précédant l'arrivée de l'Ordre.
1. Plus de 400 de nos jours.
2. Le chiffre « officiel » serait de 500. Mais personne ne peut préciser cette donnée avec certitude.

Alphonse V les conserverait comme vassaux. Mais par la suite le roi d'Espagne et de Sicile Charles Quint avait cédé Malte à l'Ordre. La forte somme versée en l'occurrence n'avait, bien sûr, pas été récupérée...

De plus, bien que l'Ordre soit théoriquement vassal direct du royaume des Deux-Siciles[1], il est clair que sa qualité de souverain ne promettait rien de bon et qu'il n'en ferait qu'à sa tête. Ce fut bien sûr le cas. Les Maltais pressentaient que cet assujettissement serait moins confortable qu'une dépendance vis-à-vis d'un lointain empereur confronté à des problèmes continentaux sinon planétaires...

Mais comme il convient souvent de s'incliner, les Maltais se consolèrent en aidant au débarquement de la vaisselle d'or et d'argent, des draperies et tapisseries précieuses, des meubles magnifiques, qu'ils fussent de facture occidentale ou orientale. Conjointement avec les centaines de Rhodiens venus dans les fourgons de l'Ordre et qui allaient devenir leurs compatriotes en s'intégrant complètement dans leur société, ils suèrent sang et eau pour mettre à terre les canons et leurs lourdes munitions, les arquebuses, mousquets, armures et les coffres contenant les effets personnels d'environ 600 chevaliers. D'autorité, le grand maître s'installa dans le fort Saint-Ange, expulsant par là même le propriétaire, le baron Nava. Les chevaliers, chacun dans sa «langue», se casèrent tant bien que mal dans des demeures bourgeoises, toutes à Birgu[2]. Car la capitale Mdina à l'intérieur des terres n'est pas une place enviable pour ceux qui doivent s'assurer la domination de l'espace maritime.

Les protections existantes, dérisoires au regard de celles de

---

1. Je rappelle que Charles Quint n'avait que loué l'archipel contre une redevance annuelle symbolique d'un faucon.
2. Il existe encore à Birgu-Vittoriosa les auberges d'Angleterre, de Provence, de France, dans un état de conservation inégal mais dont la visite est intéressante. Celle d'Angleterre est dotée d'un charmant patio et abrite aujourd'hui la bibliothèque municipale.

Rhodes, sont insuffisantes. La première chose à entreprendre est de concevoir et d'élever au plus vite de respectables murailles capables de sécuriser le port et d'assurer un système défensif de qualité.

S'étant frottés à maintes reprises aux Turcs, les chevaliers avaient intégré leurs tactiques et connaissaient la portée et la nocivité de leurs bombardes. Ils se rendent donc compte que la colline Sciberras[1] qui domine la rade par le nord et donc surplombe Birgu et ses maigres fortifications représente un danger potentiellement énorme.

Ce promontoire, havre pour les bergers et leurs troupeaux, dépourvu de sources et environné de falaises, domine au sud et au nord deux magnifiques baies, excellents ports naturels s'il en fut. Il faudrait, pour envisager la défense des ports de Malte, tenir ce mont.

Mais le nerf de la guerre manque[2], et l'Ordre décide de renforcer les défenses de Birgu et de faire provisoirement l'impasse sur les hauteurs d'en face.

Car les dépenses pour les établissements hospitaliers, qui ont la priorité avec les fortifications et l'entretien des galères, sont considérables. À cela s'ajoutent les constructions diverses, l'administration, les pensions, les prébendes offertes aux chevaliers, etc. Puis il faut, noblesse oblige, assurer la subsistance des

---

1. Celle où est construite aujourd'hui La Valette (voir la suite du récit).
2. On peut d'ailleurs s'interroger sur ce manque de fonds, sachant que l'Ordre avait hérité d'un pactole constitué de propriétés terriennes octroyé par Philippe le Bel lorsqu'il avait détruit l'ordre du Temple. À ce don considérable, se sont ajoutés au fil des ans les revenus plus que substantiels de nombreuses commanderies (on cite en 1530 environ 600 commanderies qui ne sont en fait que des propriétés foncières – dont 85 % des baux reviennent au grand maître –, réparties en grands prieurés et bailliages, dont les revenus sont inégaux). De plus, la famille d'un novice admis dans l'Ordre selon des règles précises doit s'acquitter d'un « droit de passage », et lors de son décès l'héritage total du chevalier est reversé. Des legs divers viennent par ailleurs grossir le trésor de l'Ordre, et on estime que la richesse globale est énorme.

habitants des deux îles, et les exportations sont évidemment bien inférieures à ces importations.

Grâce à Dieu, il y a la piraterie... Mais elle ne deviendra une véritable source de profits que plus tard. Pour l'heure, la priorité va à la construction des capacités défensives de l'île qui mobilise tous les moyens. Et on ne « s'offre » un Barbaresque que pour se détendre les nerfs, ne pas perdre la main et aussi complaire au Grand Chancelier, ce trésorier toujours à se plaindre du manque d'espèces sonnantes...

René Théodore Berthon, *Philippe Villiers de l'Isle-Adam*. 44ᵉ grand maître de l'ordre des Hospitaliers de Saint-Jean de Jérusalem, il prend possession de l'île de Malte donnée par Charles Quint à l'Ordre, le 26 octobre 1530. Versailles, Châteaux de Versailles et de Trianon. © *Blot/RMN*

François Xavier Dupré, *Jean Parisot de La Valette.* 49ᵉ grand maître de l'ordre de Malte. Versailles, Châteaux de Versailles et de Trianon. © *Blot/RMN*

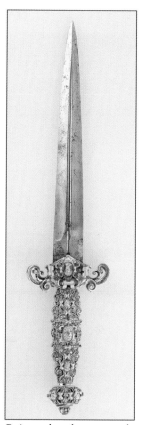

Poignard des grands maîtres de l'ordre de Malte, XVIᵉ siècle. Paris, musée du Louvre. © RMN

Giuseppe Grech, *Portrait de M. de Rohan.* XVIIIᵉ siècle. Malte, musée des Beaux-Arts. © Selva/Leemage

Le port de Malte, gravure. © DR

Martin de Vos, *Saint Paul piqué par une vipère dans l'île de Malte*, vers 1568. Paris, musée du Louvre.
© C. Jean/RMN

Le Caravage, *Saint Jérôme*, 1608. Malte, cathédrale Saint-Jean. © *Electa/Akg-images*

Le Caravage, *La Décollation de saint Jean-Baptiste*, 1608. Malte, cathédrale Saint-Jean. © *Electa/Leemage*

Antoine de Gavray,
Malte, femmes nobles.
XVIIIᵉ siècle.
Londres,
collection particulière.
© *Bridgeman-Giraudon*

Antoine de Gavray,
*Malte, chevaliers
de l'ordre de Malte.*
XVIIIᵉ siècle.
Londres, collection
particulière.
© *Bridgeman-Giraudon*

Antoine de Gavray,
Malte, officiers militaires.
XVIIIᵉ siècle.
Londres, collection
particulière.
© *Bridgeman-Giraudon*

Île de Gozo, fête de Saint-Georges. © *Daniel Cilia*

CHAPITRE VIII

ÉVANGILE VERSUS CORAN

Soliman à leur tête, les Turcs avancent partout au Sud comme au Nord. Il n'a pas oublié l'erreur monumentale commise en 1523 à Rhodes en laissant filer avec armes et bagages son valeureux ennemi. Bastion irréductible, celui-ci le nargue désormais en occupant « le nombril de la Méditerranée ». Malte tient en effet une position éminemment stratégique, verrou militairement incontournable entre Orient et Occident. La possession simultanée de l'archipel et de la principauté de Tripoli pourrait en effet complètement bloquer le passage entre Constantinople et ses possessions de Barbarie, c'est-à-dire l'Afrique du Nord.

On peut imaginer la colère et la rage contre lui-même du sultan en constatant qu'en dépit de leur défaite, ses ennemis sont désormais, à Malte, plus dangereux qu'auparavant. Il aura rapidement décrété qu'il lui faut sans coup férir « détruire ce nid de scorpions », sentinelle vigilante et arrogante de la chrétienté.

Sur la carte politique de la Méditerranée en ce milieu du XVIe siècle, l'Empire ottoman, qui est presque à son apogée, domine : au Nord, seule Vienne résiste. Au sud de la Méditerranée, l'annexion de l'Algérie et de la Tunisie barbaresques a lieu à partir de 1520. À l'est Alep d'abord, puis Damas, Bagdad, toute l'Égypte tombent aussi dans l'escarcelle bien remplie de ces combatifs héritiers du Prophète dont ils se réclament.

Certes, l'Espagne n'est plus musulmane car le dernier calife de Grenade qui aurait pu témoigner de la grandeur de l'empire almoravide a dû céder sous la pression des chrétiens. Il est tombé en 1492. Les sultans de Constantinople ont l'ambition de recouvrer la souveraineté sur l'Espagne pour recréer *El firdous andalousi*[1], mais aussi s'ils le peuvent, récupérer la Sicile et la partie du rivage calabrais conquise sur les Grecs au IXe et abandonnée lorsque les Normands les en chassèrent.

Un premier galop d'essai est effectué en juillet 1551, quand plusieurs milliers de Turcs débarquent et attaquent les villes de l'intérieur de Malte et Gozo, emmenant une nouvelle fois tous les Gozitans en esclavage. Dans la foulée, ils se saisissent de Tripoli.

Pour les Maltais et leurs nouveaux dirigeants, la leçon est bien comprise, et la nécessaire construction de forts est entreprise à marche forcée. D'abord Saint-Elme[2], à la pointe de la péninsule de Sciberras (sur laquelle s'édifiera plus tard La Valette). Placés à l'entrée terrestre de la pointe qui sera Senglea, Saint-Michel et les fortifications sont l'ébauche du formidable réseau que l'on admire aujourd'hui et qui sont destinés à empêcher toute attaque terrestre contre Birgu.

Entre-temps, en 1557, Jean de la Valette est élu grand maître et reçoit des renseignements lui indiquant que le Grand Turc prépare une attaque sur Malte.

Seule était donc défendue la zone dite des Trois Cités (Birgu, Senglea et Cospicua). Tout le reste de l'île est ouvert, et c'est, bien sûr, là que s'engouffrent les Turcs le 20 mai 1565 : le Grand Siège commence.

---

1. « Le paradis andalou ». L'image idyllique du royaume musulman d'Espagne est vivante dans la mythologie arabe qui chante l'âge d'or de l'Andalousie sous le règne éclairé des Sarrasins.
2. Le fort Saint-Elme construit à cette époque n'a presque rien à voir avec celui qu'on admire aujourd'hui. Il était beaucoup plus petit et sommaire.

CHAPITRE IX

VERDUN AU XVIe SIÈCLE
LE GRAND SIÈGE

Le corps des janissaires est une splendide unité réunissant de valeureux soldats. Composé d'enfants enlevés très jeunes en pays chrétiens, sélectionnés pour leur taille et leur vigueur, ce corps d'élite est redoutable car surentraîné. Pourvus d'un uniforme choisi pour impressionner, une cotte de mailles et un corselet léger sur une longue robe de soie blanche, ils arborent un bonnet de feutre blanc orné de plumes de héron fixées dans un fourreau d'argent. Outre le sabre, leur arme préférée, ils sont aussi capables de manier la hallebarde ou le mousquet en fonction des besoins.

Le général en chef ottoman en fait débarquer plus de 6 000 sur les rivages maltais.

Encore plus terrifiants sont ces hommes des cavernes, vêtus en fonction des saisons de peaux d'ours ou de cheval, les jaya-lars connus pour leur sauvagerie et leur mépris du danger : 400 d'entre eux vont constituer les éléments d'assaut. Rapides sur leurs chevaux barbes décorés comme des arbres de Noël, armés de lances, de javelots et d'armes à feu légères, les sipahi sont, eux presque 10 000. À leurs côtés, faisant figure de vale-taille, des unités de « régulière » sont aussi nombreuses que ces cavaliers. En tout donc si on décompte les marins, les galériens et la multitude de parasites qui tournent comme des mouches autour des armées de l'époque, 50 000 assaillants turcs...

Ayant eu l'occasion de prendre la mesure de ses adversaires, le Grand Turc n'y va donc pas de main morte. Une armada de 200 vaisseaux – dont 159 galères de combat – arrive en vue de Malte et commence à débarquer sans réelle résistance de la part de l'Ordre les avant-gardes de cette armée.

Contrairement à la croyance populaire, Malte ne dispose que de très peu de plages. Son littoral de 137 kilomètres[1] est principalement constitué de rochers et de falaises abrupts, impropres au débarquement de navires. Les Turcs ne pouvaient choisir que deux endroits : l'un au nord à Mellieha et l'autre au sud dans la baie de Marsascala[2]. C'est pour le second que finalement optera Mustapha Pacha, le fidèle général en chef turc, à la carrière certes respectable mais qui n'est pas cependant le plus célèbre des assaillants.

Son rival en notoriété est le jeune grand amiral Piali, né hongrois et chrétien et gendre du sultan. Mais ce sera surtout Dragut (il est vénéré en Turquie sous le nom de Torghoud Reis), bey de Tripoli, marin fameux, corsaire terriblement efficace et redouté des navires chrétiens, qui terrorise aussi bien les rivages italiens qu'espagnols. Il convient de s'arrêter un peu sur cette personnalité hors pair : à son audace et son courage incroyables s'ajoute un sens tactique affiné. Adjoint de Barberousse, amiral de la flotte ottomane, il est devenu le spécialiste des raids meurtriers et téméraires, lorsqu'il succède à son célèbre chef.

Ce trio hors norme devra décider de la stratégie pour la conquête de l'archipel. Sans comité d'accueil pour résister sur les plages, les Turcs progressent assez vite vers l'intérieur, dévastant villages et fermes et provoquant l'exode des habitants vers les forteresses défendues par les chevaliers.

---

1. Et Gozo de 43 kilomètres seulement.
2. Appelé à l'époque Marsa Scirroco, ce qui en arabe peut se traduire par « le port du vent chaud ».

Du côté mer, l'entrée du Grand Port étant solidement contrôlée par deux forts[1], une gigantesque chaîne coupant la baie du pied de Saint-Ange à Senglea en face, et empêchant le passage de tout navire[2], Mustapha Pacha n'a d'autre choix que d'en bloquer l'entrée sans tenter d'attaquer de front Birgu ou Senglea.

Par contre, sa stratégie est d'envelopper ces villes fortifiées et d'occuper les points hauts les dominant. Des « traîtres » chrétiens, c'est-à-dire des convertis de force servant dans les rangs ottomans depuis longtemps, rejoignent les chevaliers et les informent des intentions de leurs anciens maîtres. C'est ainsi que l'Ordre apprend que ceux-ci veulent en premier lieu conquérir le fort Saint-Elme à la pointe de ce qui est La Valette actuelle et, de cette position surplombante, écraser Birgu et son bastion, le fort Saint-Ange.

Ingénieurs, sapeurs, artilleurs, mineurs, janissaires, appuyés par les canons de la flotte turque combinent remarquablement leurs actions malgré l'héroïque résistance et l'inventivité des défenseurs. Ce n'est qu'après un épouvantable siège d'un mois, riche en multiples péripéties, la mort au combat de 10 000 hommes du côté turc contre « seulement » 1 500 chrétiens[3], et la blessure mortelle de Dragut, que ce qu'on nommait la « clef de Malte » tombe.

Birgu et Saint-Ange qui ont suivi heure par heure les tribulations de leurs camarades enfermés à Saint-Elme, souvent grâce au dévouement de nageurs maltais qui transportent des messages en traversant la baie, se trouvent désormais en première ligne de tous les côtés.

---

1. Saint-Elme donc à la pointe de la péninsule de ce qui est maintenant La Valette et Saint-Ange dont les canons peuvent tirer dans cette direction comme on le constate si bien aujourd'hui.
2. Au pied de Senglea, le point d'amarrage de cette barrière était l'ancre de la Grande Caraque, le fameux navire du grand maître Villiers de L'Isle-Adam à son arrivée à Malte trente-cinq années auparavant.
3. Essentiellement des Espagnols et beaucoup de Maltais. 120 chevaliers ont perdu la vie dans cette bataille.

La Valette a prévu l'issue du siège de Saint-Elme et fait rentrer dans les deux villes fortifiées de Birgu et de Senglea les habitants, leurs biens et provisions, leurs bêtes. Fils de notre ami Alexandre, le nouveau baron d'Abela a bien sûr suivi et s'est engagé comme chef d'une milice locale constituée d'hommes et de femmes du cru.

Les Turcs leur confirment leur détermination en propulsant en guise de boulets les têtes de leurs compagnons tués ou en confiant au courant les corps mutilés et cloués sur des planches en croix.

Cette intimidation ne fait que renforcer la résolution des chrétiens qui répondent de la même manière fort peu catholique au demeurant mais bien dans les mœurs de l'époque.

Jamais le sang-froid, la fermeté et le sens tactique de La Valette n'ont faibli et, malgré ce revers, son prestige reste immense. Succédant à un autre grand maître français, Claude de La Sengle[1], Jean Parisot de La Valette[2], un des rares hommes dans le monde à avoir donné son patronyme à une capitale[3], est né en 1494 dans le Languedoc[4] et a rejoint l'Ordre à vingt ans. Après avoir été gouverneur de Tripoli d'Afrique, poste peu confortable s'il en fut, il avait accédé au titre de général des galères, fonction dans laquelle il acquiert une redoutable renommée, quasi égale à celle de Dragut. Non seulement il nettoie la région de la plupart des corsaires barbaresques qui l'infestent, mais de plus les butins rapportés triomphalement dans le Grand Port contribuent grandement à renflouer les finances de l'Ordre... et à faire croître son aura[5].

---

1. Qui a donné son nom à la ville de Senglea.
2. L'attention des lecteurs doit être attirée sur une étrange différence. En français, le nom ne porte qu'un «l» alors qu'en maltais il en a deux.
3. Washington en est un autre.
4. Il appartenait donc à la langue de Provence.
5. Notons que les musulmans n'étaient pas la seule cible de la flotte maltaise. Les vaisseaux marchands juifs furent souvent capturés par ceux que leurs propriétaires nommaient les « très méchants moines de Malte »...

Une fois cependant, le sort lui est contraire et, captif, il doit ramer pendant un an sur les galères turques où il ne survit que grâce à sa robuste constitution et... aux bontés de son futur adversaire, Dragut, qu'il retrouve donc neuf années plus tard face à lui au Grand Siège.

Grand, de fière prestance, beau – ce qui ne lui nuit pas –, il maîtrise de nombreuses langues dont le turc, mais cela lui sert peu vis-à-vis des monarques chrétiens. L'immense inconscience dont ceux-ci font preuve en regard du danger ottoman est insondable... qu'explique l'atmosphère de querelles intestines, d'intrigues de cour, de manœuvres alambiquées pour s'approprier de prestigieux héritages et l'incendie qui menace la maison ne les préoccupe pas...

Faute de susciter leur intérêt, La Valette se résigne à faire ce qui lui reste possible. Il rappelle les chevaliers et les commandeurs se trouvant hors de Malte[1], lève tous les fonds auxquels il peut avoir accès et accumule dans les forts de significatives réserves de nourriture et de munitions. L'eau si précieuse est puisée et stockée dans d'énormes citernes de pierre. Et, même s'il ne parvient pas à porter la qualité des fortifications au niveau de celles de Rhodes, grâce à un réseau d'espions performant il peut anticiper les actions ennemies, et dispose de 700 chevaliers encadrant une troupe d'environ 9 000 hommes à l'arrivée des Turcs.

Hélas, la chute du fort Saint-Elme la réduit à moins de 7 000 valides. Raffermissant son autorité, il prend les mesures que la situation impose : renforcement des approvisionnements par l'accumulation des vivres dans les citadelles, utilisation jour et nuit des moulins à poudre, adresse aux civils pour conforter leur moral, et... élimination des chiens dont ceux de sa propre meute qui, très voraces, engloutissent trop de nourriture.

---

1. En effet, un pourcentage significatif de chevaliers de Malte résident hors du « couvent ». Ils dirigent les commanderies, voyagent, sont les ambassadeurs permanents ou temporaires de l'Ordre ou effectuent leurs « caravanes » sur des galères loin de l'île.

Signe de la dureté des temps : obligé de dégarnir la déjà squelettique garnison de l'ancienne capitale Mdina pour renforcer les points vitaux de résistance, il incite les chevaliers restants à tenir jusqu'à la mort, et, suggère-t-il un brin cynique, « en attendant celle-ci, pendez haut et court sur les murailles en vue des assaillants un prisonnier turc chaque matin à l'heure du petit déjeuner »...

S'il est exact que la guerre psychologique a été codifiée au cours de la seconde partie du XX[1] siècle[1], on peut affirmer qu'elle tire certaines de ses origines de ces pratiques voulues dissuasives. Affaiblir la volonté de combattre de l'ennemi en le terrorisant, en anéantissant les motivations de son sacrifice, en l'amenant à perdre confiance en ses chefs, suscitant des dissensions voire des trahisons dans le commandement, agir sur le terreau plus fragile des civils en insinuant que la guerre est injuste, coûteuse et qu'ils sont les victimes obligées...

Les Turcs ne se privent pas non plus d'utiliser ces procédés qui ne portent pas encore de nom savant et ne sont pas en reste de préparatifs plus terre à terre pour l'assaut final. Les captifs chrétiens durent s'escrimer à transporter les canons sur des positions de tir autour de Birgu. Plus de cent pièces d'artillerie tireraient sur la ville dès le signal donné. Des reconnaissances détaillées donnèrent à Mustapha Pacha son idée de manœuvre : à l'instar de ce qu'il avait obtenu à Saint-Elme, conquérir au premier chef Saint-Michel protégeant Senglea. Une méthode audacieuse est inventée : transporter par la terre des bateaux hors de portée du feu des chevaliers pour entrer dans le port. Aussitôt dit aussitôt fait. Les esclaves chrétiens sont derechef

---

1. C'est, comme on le sait, le conflit en Indochine qui a permis la réflexion sur cet aspect ancien de la guerre : diminuer les capacités de l'ennemi en jouant sur son moral... Mais c'est au cours des « événements » en Algérie que fut créé le cinquième bureau dont les promoteurs furent les colonels Lacheroy, Gardes et Broizat. Depuis ce sont les Américains qui ont repris le flambeau avec les opérations de « psyops » qu'ils mènent sur les théâtres d'opération actuels.

mis à contribution forcée pour faire franchir un bras de terre de plus d'un kilomètre et comportant une dure montée avec 80 navires qui se retrouvent à flot au fond du Grand Port, à l'abri des canons des forts, prêts à s'engager.

La situation devient chaude en ce début de juillet car, en sus du soleil ardent qui les liquéfie, les défenseurs sont littéralement arrosés de toutes parts de feux croisés de gros calibre démolissant les murailles. Profitant du vacarme, des nageurs turcs armés de hachettes sont envoyés détruire les pontons de bois qui barrent les entrées et relient les deux villes de Birgu et Senglea. Contre eux sont lancés des Maltais munis de dagues et un combat natatoire s'engage de nuit au pied de Senglea. Cette effroyable joute rougit les eaux du sang des combattants des deux camps unis dans le massacre, et se termine à l'avantage des chrétiens.

Encore un assaut contre ce môle de résistance, puis un second, un troisième. Le courage, la discipline des musulmans ne mènent à rien : Senglea résiste ce 15 juillet et les pertes dans les rangs des attaquants[1] qui se montent à 3 000 contre 300 du côté chrétien donnent à réfléchir au généralissime.

Pour s'épargner une hémorragie catastrophique dans les rangs de ses soldats, celui-ci revient à la tactique de bombardements à outrance qu'il couple avec des assauts fougueux mais mieux ciblés. Mêmes épouvantables hécatombes...

Dorénavant, les Turcs occupent toute l'île. Ils tentent la même tactique qu'à Rhodes, c'est-à-dire susciter des traîtrises, et notamment celles de Maltais dont ils espèrent que l'usage d'une langue proche de celle de leurs supplétifs algériens incite à une certaine complicité. En vain. Les Maltais demeurèrent fidèles à leurs maîtres qu'ils avaient pourtant mal acceptés lors de leur arrivée. Plusieurs d'entre eux font preuve d'abnégation en s'infiltrant dans les lignes ennemies pour parvenir

---

1. Qu'on ne peut plus appeler Turcs car ils avaient reçu le renfort de 2 500 Algériens fort aguerris menés par le fils de Barberousse.

jusqu'en Sicile et porter les messages du grand maître implorant des secours.

Le 7 août faillit carillonner la fin du fort Saint-Michel, les assaillants parvenant, au prix de pertes effrayantes, presque sur sa place d'armes. Mais soudain, voilà que leurs trompettes sonnent le repli. Tous se retirent précipitamment car on les attaquait si violemment sur leurs arrières qu'ils crurent à l'arrivée de renforts de l'extérieur. Or ce n'était qu'une sortie, fort à propos, de la garnison de Mdina venue dérouiller les jambes de ses soldats. Tout le terrain conquis par les mahométans est perdu...

La chaleur est extrême. Aux aguets sur les remparts en plein soleil, les assiégés doivent boire en permanence sans pouvoir quitter leurs postes. Le 18 août, nouvel assaut en force, précédé d'un bombardement d'une intensité encore inégalée, quand soudain, un rempart sous lequel une mine avait été creusée explose et s'écroule. Les janissaires se ruent en avant dans la brèche et plantent leur étendard au sommet du fort. Malgré son âge (71 ans), le grand maître lui-même se lance à la rescousse, résolu à mourir au milieu des siens. Il est blessé, alors que sur mer les Turcs font donner le canon de leurs vaisseaux en signe d'allégresse.

Tout semble perdu. Mais ce n'était pas encore l'heure de la victoire pour les Turcs qui sont, une nouvelle fois, repoussés.

Le 20 août, le 23 août, mêmes scénarios sur les mêmes bastions. La bravoure des deux bords ne connaît plus de limites. Les murailles sont désormais si dégradées qu'elles peuvent s'écrouler à tout moment, ensevelissant les chrétiens comme les attaquants. Trop utilisés, les canons sont près d'exploser, et la poudre va manquer. Tenaces, les sapeurs turcs continuent leurs travaux de sape, creusant inlassablement des tunnels qu'ils bourrent de poudre jusqu'à la gueule.

Alors, pour redonner à ses troupes un moral de vainqueur qui se dissipe devant tant de difficultés, Mustapha pense les orienter sur Mdina, cible qu'il estime plus facile. Le gouverneur de la citadelle ne disposant que d'une garnison réduite a recours à un stratagème qui dupe les Turcs : il déguise en soldats les civils réfugiés dans la ville fortifiée, hommes et femmes, et les fait parader ostensiblement sur les remparts. Leur nombre et le calme qu'ils affichent font craindre au chef des janissaires des entourloupettes dignes de celles rencontrées pour la capture de Saint-Elme. Il renonce et revient à sa stratégie précédente : tout sur Birgu.

Au début de septembre, le généralissime ne peut plus tergiverser. En effet, l'automne s'annonçant, les communications avec la Turquie éloignée de plus de 1 000 kilomètres deviennent de plus en plus compliquées.

Il faut en finir. Les troupes turques sont épuisées et démoralisées par les pertes au combat, les maladies et les conditions de vie extrêmement fatigantes, et par-dessus tout par la résistance acharnée des défenseurs pourtant très inférieurs en nombre. La chaleur intense sature l'air d'odeurs pestilentielles de corps décomposés. Tout ayant déjà été ratissé, il reste dans l'île de moins en moins de victuailles pour satisfaire les combattants et les galères chrétiennes interceptent nombre de convois venant d'Afrique du Nord les ravitailler. Mais surtout, leur foi en un Dieu tout-puissant, favorable à leur cause, levant son cimeterre contre les infidèles chrétiens, se retourne contre eux. Le ciel, décidément, souhaiterait-il qu'ils s'emparent de Malte... ?

L'assaut « final » est décrété : Mustapha joue son va-tout.

Il ignore qu'alors que les assiégés ont renoncé à tout espoir de se voir secourus de l'extérieur, l'Occident chrétien a enfin réagi et qu'une escadre conduite par le vice-roi de Sicile croise déjà dans les eaux maltaises. Elle débarque d'abord des troupes sur la plage du nord de l'île puis s'en vient parader à quelques encablures du Grand Port, bien visible de la terre. Utilisant encore l'arme psychologique, La Valette relâche un prisonnier turc lui laissant entendre qu'il peut se montrer magnanime car la victoire est désormais certaine grâce aux renforts massifs venant de Sicile.

L'effet de cette ruse, renforcé par les indications des observateurs turcs postés sur la côte Nord concernant la flotte si proche, est miraculeux. Sans demander son reste et vérifier l'importance de ces soutiens, l'armée turque lève le camp en catastrophe et le 8 septembre, presque toute rembarquée, fait voile vers l'Est.

Comme par enchantement, les bannières vertes de l'islam qui, arrogantes et sûres d'elles, flottaient sur tous les points hauts de l'île disparaissent. Le siège est levé. Il a duré 111 jours.

Malte est dégagée.

L'ordre de Saint-Jean demeure sur la face de la terre.

La chrétienté est sauvée.

CHAPITRE X

CES SEIGNEURS DE LA RELIGION

Les Turcs tenteront un nouveau débarquement sur la plage de Mellieha, au nord cette fois-ci. Mais la furie des survivants chrétiens, qui se ruent pour étriper ceux qui posent le pied à terre, est si spectaculaire que l'ordre de rompre le combat est rapidement et définitivement donné. Piteuses, les galères ottomanes repartent vers le Levant, poursuivies par une canonnade joyeuse, et laissant derrière elles un véritable champ de ruines. Les conséquences politiques et militaires au-delà de la question religieuse de cette défaite musulmane sont immenses. Ce n'est pas sans raison que l'imagerie populaire, à l'instar de *La Chanson de Roland*, s'en est emparée. Car le Grand Siège est devenu une ballade épique chantant les exploits de l'ordre de Saint-Jean et de ses auxiliaires maltais.

La Valette et son état-major font face à d'immenses tâches peu compatibles. Il leur faut panser les plaies, mais ne pas négliger la préparation de la phase suivante.

D'abord un premier bilan sur le plan humain : le coût de cette bataille est considérable. L'ordre de Saint-Jean déplore la perte de plus de 250 chevaliers (sur 600 engagés) et de 8 000 hommes, soldats ou civils. Comme on pouvait s'y attendre, la chronique n'a hélas pas retenu les noms des héros maltais, simples recrues, alors que ceux des chevaliers, commandeurs ou baillis, tous étrangers, demeurent inscrits dans le marbre.

Matériellement, on frise un quasi-désastre : les fortifications, les bastions, les villes et villages ont si terriblement souffert qu'il semble difficile de les relever. Campagne dévastée et comme anéantie, puits souillés, arbres arrachés et brûlés, bétail tué, les ravages visibles du long séjour des troupes adverses donnent l'impression du passage d'un cyclone. Il faut presque tout reconstruire pour vivre et faire face à l'éventualité d'une nouvelle invasion.

Mais le siège a produit plusieurs résultats directs et positifs. L'Ordre s'est sauvé lui-même. Une défaite signifiant une expulsion de Malte aurait signé son acte de décès définitif probablement, et, pour l'archipel, les siècles suivants auraient été vécus dans une ambiance tout à fait autre que celle que nous pouvons relater.

Par ailleurs, l'Ordre et ses sujets maltais se sont mesurés mutuellement et se sont découverts. Le respect, l'admiration, la confiance qu'ils ressentent les uns pour les autres augurent que leur destinée commune sera très favorable. En trois mois, une loyauté intense face à l'adversité a fermement accompli ce que les trente-cinq années précédentes avaient peiné à atteindre. C'est l'ébauche d'une nation véritable mais étrange. Né de ce mélange improbable d'« indigènes » d'origines si diverses et d'Européens venant du Nord, de paysans-pêcheurs et d'aristocrates arrivés avec la vocation de les dominer et de conduire leur destin, cet État se hisse à la hauteur des autres nations de la chrétienté à la faveur de cet exploit. Compact et bien armé, ce ciment tiendra sans trop de soubresauts jusqu'en 1798...

Enfin, élément qui a son importance, l'Ordre a digéré son installation à Malte. Rêve de retour à Rhodes, réticences à l'égard de l'île elle-même, tout cela est envolé. L'avenir de l'Ordre est définitivement lié à cette terre...

Si Malte apparaît désormais en grand sur la carte de l'Europe, il faut conforter cette image de sauveur qu'elle a gagnée en obtenant la solidarité et la reconnaissance de la Chrétienté. Le grand maître envoie donc des ambassadeurs annoncer le triomphe et mobiliser les énergies. Dans tous les pays chrétiens, la victoire est célébrée avec allégresse, y compris dans l'anglicane Angleterre. Récompense suprême, le pape offre la pourpre cardinalice à La Valette qui, à sa stupéfaction, la refuse[1]. Laissant entendre par là que l'Ordre a besoin avant tout d'une assistance massive tant en hommes qu'en espèces. Et les envoyés du grand maître, utilisant la formidable image acquise pendant ces trois mois funestes, font vibrer la corde sensible et capitalisent sur le soulagement des souverains trop contents d'avoir pu déléguer à l'Ordre leurs propres devoirs de repousser les infidèles.

Les fonds affluent donc du Vatican, du Portugal, d'Espagne, des principautés italiennes bien sûr. Charles IX, roi de France depuis 1560, et la régente Catherine de Médicis rachètent la « traîtrise » de François Ier et versent au pot une obole considérable[2].

Enfin, générosité non feinte, les membres de l'Ordre se dépouillent de leurs biens et leurs dons complètent utilement les contributions royales. On peut désormais reconstruire.

*

La seconde décision de Jean de La Valette, si spectaculaire alors et visible aujourd'hui est de quitter le Bourg (Birgu) pour créer de toutes pièces une capitale sur les hauteurs – celles-là mêmes que les Turcs avaient si astucieusement utilisées pour pilonner Birgu et Senglea de l'autre côté de la baie. Dès décembre 1565 des murailles commencent à s'élever sur les pentes du mont Sciberras grâce au concours d'une multitude d'ingénieurs et d'ouvriers en majorité siciliens. Omniprésent, le grand maître donne de sa personne, tant financièrement en puisant dans sa cassette privée que mentalement et physique-

---

1. On lui prêta ce mot : « La croix blanche de l'Ordre sied mieux sur le noir du manteau de l'Ordre que sur le rouge cardinalice »...
2. Cent quarante mille livres soit la valeur de plusieurs millions d'euros actuels.

ment en passant d'interminables heures de son temps à contrôler les travaux. Servi par son aura de vainqueur, il insuffle à tous une volonté décisive pour bâtir en quelques années une cité aussi bien agencée que La Valette.

Pour Birgu dont les habitants avaient tant contribué à la victoire, il a la délicatesse de la rebaptiser « Vittoriosa », nom qu'elle porte encore officiellement.

Mais, comme toujours, après l'orage qui occasionne une grande tension survient le beau temps qui permet le relâchement. Sous le prétexte de célébrer dignement leur victoire, des jeunes chevaliers qui avaient si bien combattu se laissent aller plus que la décence ne le permet à des plaisirs gourmands et interdits par la règle : accortes jeunes femmes maltaises, orgies effrénées, blasphématoires chansons après boire. Malgré sa naturelle mansuétude, La Valette réagit fort vite et, en sus des sanctions ordinaires, impose à tous les personnels de l'Ordre de s'installer au milieu du chantier sur « la colline d'en face ». Cette décision qui les coupe de leur confort et de leurs habitudes provoque de sérieuses réactions mais, par ricochet, contribue à une accélération remarquable du tempo des travaux. Les tentes de campagne en effet offrent un confort si spartiate tant en hiver qu'en été qu'elles disparaissent plus vite que prévu au profit de maisons qui sortent de terre comme des champignons...

À soixante-quatorze ans, jugeant qu'il a accompli sa mission sur terre, et après avoir dûment réglé ses affaires, Jean de La Valette rend son âme à Dieu. Un des plus grands dirigeants « maltais » quitte la scène. Nous sommes le 21 août 1568.

Le sauveur de Malte repose aujourd'hui dans la crypte de la co-cathédrale[1] Saint-Jean, dans la ville qui porte fièrement son nom.

*

---

1. C'est le moment de rappeler que Malte dispose de deux cathédrales. Celle de La Valette que connaît tout le monde, et, signe éminent du respect à l'organisation antérieure à l'arrivée des chevaliers, celle de l'ancienne capitale, Mdina.

Le successeur de ce grand maître exceptionnel est choisi immédiatement selon la tradition et les règles de l'Ordre. Ce ne sera pas Antonio de Toledo, grand prieur de la langue de Castille comme l'avait suggéré La Valette, mais Pietro Guidalotti del Monte, un Italien.

Malte s'engage donc résolument dans la normalité, un après-Grand Siège plus serein sous l'égide d'un ordre de Saint-Jean revigoré, ragaillardi et animé d'une confiance en lui à toute épreuve.

À l'est, les Turcs, certes secoués par leur sévère revers, ne démordent pas. La menace est toujours omniprésente. Preuve en est donnée par la brutale conquête de Chypre en 1570 et le massacre de toute la population locale. Est-ce la goutte d'eau qui fait déborder le vase ou est-ce le résultat direct du coup d'arrêt donné à Malte cinq ans auparavant ? Toujours est-il qu'exaspérés par cette outrecuidante action, les chrétiens s'unissent sous la bannière de la papauté et de Venise menacée dans son pré carré. Ils infligent, Espagnols en tête, en 1571 cette célèbre défaite navale qui signe la fin de la suprématie ottomane sur les mers : Lépante dans le détroit duquel une armada de quelque 200 galères chrétiennes brise la puissance maritime adverse en tuant 25 000 Turcs et capturant 180 vaisseaux ennemis. Deux navires de l'Ordre dont la « grande capitane » sombrent et soixante chevaliers trouvent la mort parmi les 7 500 victimes chrétiennes de ce fait d'armes.

La flotte de l'Ordre déplace son pôle d'attraction plus à l'Ouest en se spécialisant dans la chasse aux Barbaresques, alors qu'évoluant vers une technique plus élaborée l'art maritime privilégie désormais les vaisseaux de ligne au détriment des galères. Perdant de leur importance, ces dernières entraînent la flotte maltaise vers un déclin relatif et lent au regard des marines continentales européennes : les escadres ibériques, françaises, anglaises et hollandaises vont désormais dominer les mers. Et, ce faisant, la Méditerranée perd son statut de centre du monde au profit de l'océan Atlantique.

CHAPITRE XI

LE PUISSANT ORDRE DE SAINT-JEAN... ET DE MALTE

À partir de 1565, Malte prend une vitesse de croisière. Stabilisé, normalisé, le petit archipel va vivre comme un État ordinaire. L'ordre et Malte se confondant alors encore plus intimement, il est nécessaire de consacrer quelques lignes à l'organisation si originale d'un gouvernement qui va diriger l'archipel pendant plus de deux siècles. Certes, en ce temps-là, la démocratie au sens moderne est un concept inconnu, voire impensable. On n'attend pas des peuples qu'ils aient l'outrecuidance de choisir leur mode de gouvernement, et il est généralement accepté de se voir imposés des rois, princes, ducs venant d'ailleurs.

Les Maltais devront attendre – comme bien d'autres peuples – de nombreux siècles pour décider de leur propre sort.

En tout état de cause, l'ordre souverain de Saint-Jean, « ces messieurs de la religion » comme on les appelait couramment, était maître chez lui, à Malte. Et bien mieux que dans d'autres principautés, ils avaient su se doter d'un système d'administration qui, pérenne et sans équivalent dans le reste du monde, s'impose aux citoyens maltais sans soucis majeurs durant deux cent soixante-huit années.

Sous l'autorité du pape, l'Ordre est avant tout une communauté religieuse suivant la doctrine catholique et romaine[1]. Signe éminent de ce caractère, les chevaliers et beaucoup d'autres ne parlent de Malte que comme du « couvent »... Un chevalier est un moine qui fait des vœux de pauvreté, de chasteté et d'obéissance. Il est aussi un militaire qui se bat pour un État et doit lui rendre des comptes. L'Ordre est partagé en trois branches :

Les chevaliers d'abord, eux-mêmes divisés en trois : les chevaliers de justice, tous nobles jusqu'au XVIIIe siècle, les chevaliers de grâce nommés par le grand maître, non tenus de justifier des quartiers de noblesse mais astreints aux vœux, les chevaliers d'obédience qui sont laïcs et qui apparaissent au XVIIe siècle.

Les clercs, chapelains, aumôniers des galères, prieurs des prieurés et abbayes.

Les servants d'armes, soldats assurant les tâches subalternes qu'on pourrait associer à celles, indispensables, des sous-officiers.

À la deuxième catégorie, on peut associer les donats qui, se vouant corps et biens à la cause, lui abandonnent leurs biens. On compte aussi une branche féminine, les hospitalières.

Autre originalité, l'Ordre possède, réparties dans toute l'Europe, des commanderies, domaines fonciers dont il tire l'essentiel de ses revenus.

Ces commanderies sont associées à une division autant linguistique que territoriale, les « langues », chacune dirigée par un bailli conventuel[2] choisi par ses membres qui a sa place dans les différents conseils. De surcroît, il est le « pilier », c'est-à-dire le directeur de l'« auberge » de sa langue. Ces auberges – dont certaines subsistent encore à La Valette comme à Birgu – sont en fait de somptueuses casernes où doivent demeurer les chevaliers de chaque langue.

Dès 1492, il existe huit langues pour lesquelles, avec le temps, chacun des piliers a reçu en charge une fonction orga-

---

1. Le terme de romain est capital au regard de ce qui se passera plus tard, après 1800, lorsque des branches « dissidentes » orthodoxe, protestante voire anglicane tenteront de proclamer leur légitimité.
2. Ce qui signifie que, en principe, il réside à Malte.

nique. Créatrice de l'Ordre et prééminente jusqu'à la fin, la France se prévaut des trois langues majeures et protocolairement en tête : la Provence toujours la première dont le chef est le Grand Chancelier chargé des finances, l'Auvergne dont le pilier commande les forces à terre et la France qui est le responsable hospitalier. Puis l'Italie (la flotte), l'Aragon (l'intendance), l'Angleterre (la cavalerie et la défense des côtes), l'Allemagne (l'artillerie et les fortifications) et enfin la Castille (les tribunaux, les archives).

Il est important de relever que, concept unique et combien original en ces temps, les chevaliers bénéficient de la double nationalité, celle de leur pays d'origine et la maltaise. De toute évidence, cela permet des allers et retours entre Malte et les commanderies et prieurés du continent, des échanges de bons procédés comme le commandement de navires ou de flottes chez les uns ou les autres, mais cet état de choses présente aussi des inconvénients. Lorsque la double loyauté est incompatible, que doivent faire les chevaliers ? L'exemple d'Henri VIII lors de sa querelle avec le pape au sujet d'Anne Boleyn [1], qui provoque la dissolution de la « langue » d'Angleterre, mais aussi le retour de la grande majorité des chevaliers anglais et la perte de toutes les commanderies correspondantes est éclairant. L'autre exemple collectif et encore plus dramatique du handicap que peut occasionner la double nationalité est celui de la Révolution française (sur laquelle nous reviendrons plus tard).

Monarchie aristocratique et religieuse, l'Ordre n'en est pas moins un peu « constitutionnel » dans la mesure où son chef, le grand maître, est élu par ses pairs parmi les chevaliers de justice selon un cérémonial compliqué. Sauf cas exceptionnels et bien spécifiés, il règne jusqu'à sa mort.

Comme pour toute institution humaine, ces élections ont connu quelques ratés, les intrigues pour être élu prince de

---

1. Qui avait l'insigne privilège d'être née avec trois seins et onze doigts. Ce n'est sans doute pas l'unique raison pour laquelle Henri VIII décida de quitter l'Église romaine...

l'Ordre, statut auquel correspondent de substantielles prébendes, tentant d'influer sur ces choix. Le grand maître dont le pouvoir et le prestige peuvent être comparés à celui du doge de Venise est un seigneur et se comporte comme tel. Il est entouré de gardes et de pages et dispose d'une cour qui prend de l'importance ou en perd en fonction de la personnalité du titulaire. Une cassette bien garnie lui permet de maintenir son rang parmi ses pairs européens. Certains grands maîtres furent davantage des princes temporels que d'autres : Pinto le Portugais, par exemple, se voulait Roi-Soleil de la Méditerranée, et son souci de grandeur conduisit l'Ordre à une quasi-banqueroute. Mais il inspira le respect de ses pairs et de ses concitoyens tant par sa munificence que par ses actions diplomatiques. Lascaris le Provençal est remémoré pour le faste dont il s'entourait : élu à 76 ans, il a toujours, comme ses frères de l'auberge de Provence, utilisé de la vaisselle d'argent et ce n'est pas parvenu au sommet de l'échelle qu'il transigera avec ces coutumes. Mais les archives révèlent davantage : il ne se déplace en carrosse que précédé de trompettistes à cheval et dispose d'un personnel surabondant, près de deux cents personnes dont son perruquier, son maître d'armes, son grammairien, son attrapeur de rats, son faiseur de café et son chef de meute, etc. Il ne buvait que frais en été, faisant venir de la glace de l'Etna pour rafraîchir ses jus d'orange...

Bien qu'apparaissant de droit divin donc absolu, bénéficiant du titre d'Éminence ou d'Altesse, le grand maître n'est pas toutpuissant. Quatre conseils l'encadrent, parfois fermement. Le conseil d'État (ou ordinaire) qui, traitant des difficultés provoquées par les décisions diverses, est en fait une cour de justice. Le conseil complet, plus élargi que le premier, s'occupe entre autres choses des affaires extérieures et des traités. Le conseil secret est un organisme de décisions rapides alors qu'enfin le conseil criminel juge des peines à infliger aux deux premières catégories.

Un corps d'archers assure la police et des tribunaux séparés connaissent l'un, l'Égard, c'est-à-dire les affaires de l'Ordre, l'autre, la Castellanie[1] juge les délits commis par les Maltais, enfin, le tribunal d'Armements qui règle les répartitions toujours délicates des prises de guerre.

Nous avons déjà abordé la question des ressources de l'Ordre, et partant celle de l'État maltais dont l'essentiel provient des commanderies. Pour être plus précis, ajoutons que sont prévues une taxe sur les postulants dont s'acquittent les familles avant que le novice ne rejoigne Malte ainsi qu'une taxe sur l'héritage du chevalier lors de sa mort[2]. Ne parlons pas des droits divers perçus communément : la gabelle, les aides, et surtout les traites (douanes).

La faiblesse de ce système trop international ou globalisé avant l'heure est qu'il est très sensible à toutes les crises financières ou économiques qui frappent le ou les pays où les commanderies sont nombreuses. On verra plus tard que bien plus que l'arrivée des troupes de Bonaparte dans les eaux du Grand Port en 1798 c'est la Révolution française qui, en nationalisant tous les biens d'Église et en conséquence ceux de l'Ordre, provoque sa fin.

Mais l'institution a d'autres cordes à son arbalète. Thalassocratie esclavagiste, elle détient plus de captifs que n'en ont besoin les galères ou l'entretien des fortifications. Elle revend donc les esclaves de même que les produits de ses « rapines » navales, épices, pierres et métaux précieux, soieries, armes diverses, cuirs, huile, etc. Malte devient un immense emporium où tout s'échange entre Ponant et Levant et c'est probablement là que les Maltais ont largement conforté le génie du commerce qui les caractérise de nos jours.

*

---

1. Mdina, l'ancienne capitale, a son « capitaine de la vergue » *(sic)* tandis que Gozo est administré par un chevalier gouverneur.
2. L'Ordre n'hésite pas à attaquer en justice les parents des chevaliers qui n'ont pas accepté de livrer à leur mort TOUTE leur vaisselle d'or et d'argent.

On ne peut parler de Malte sous le régime de l'ordre de Saint-Jean sans aborder les relations ambiguës qu'il entretient avec le Saint-Siège. Malgré le caractère indiscutablement clérical du système gouvernemental, celui-ci ne se dote d'un évêque dans l'archipel qu'après l'avoir cantonné pendant des décennies à Palerme. On peut sans exagérer affirmer qu'il existe à Malte deux Églises qui certes obéissent au même pape, mais sont séparées sur le terrain et quasi antagonistes : celle liée à l'Ordre avec sa cathédrale dans la capitale et celle des Maltais restant installée à Mdina l'ancienne métropole et qui, s'estimant « inféodée au pape, est d'avis qu'elle ne dépend en rien de l'Ordre ». La curieuse tradition de deux cathédrales pour un seul diocèse perdure encore aujourd'hui.

Quand en 1574, utilisant comme prétexte un différend entre les « deux Églises », le pape impose un Grand Inquisiteur qui, de plus, s'installe à Birgu pour ne paraître dépendre ni de l'une ni de l'autre, la confusion est à son comble : on peut dire que trois Églises cohabitent... mal. Deux s'unissent toujours contre la troisième...

Si de nos jours on qualifiait ce Grand Inquisiteur d'« œil de Moscou », on paraîtrait malveillant, voire anticlérical. Mais c'est exactement ainsi que l'ont ressenti toutes les administrations des grands maîtres successifs. À l'Inquisiteur[1] qui est toujours un Italien, on reproche son travail de sape de toutes actions de l'Ordre, des intrigues avec le clergé local, des rapports calomnieux à Rome et maints autres griefs dont le plus pernicieux est d'utiliser des chevaliers de la langue d'Italie comme chevaux de Troie pour contester le grand maître de l'intérieur...

La parade de ce dernier est d'appeler au secours les puissances tutélaires comme l'Espagne (donatrice de l'île à l'Ordre) et la France (créatrice de celui-ci et y conservant une hégémonie certaine malgré le dérapage de François Ier qui a fait alliance avec le Grand Turc). Hélas, rois et empereurs ont d'autres chats

---

1. Dont il est utile et passionnant de visiter le palais à Vittoriosa-Birgu.

à fouetter et de subtils compromis à trouver avec un pape qui reste une vraie puissance temporelle et dont les rets spirituels s'étendent profondément dans les âmes des sujets de ces majestés.

Les rapports avec la Sicile ne sont pas non plus au beau fixe car le royaume des Deux-Siciles (lui-même vassal de l'Espagne), sous l'autorité duquel se trouve l'île, se comporte comme le suzerain de Malte[1]. De nombreuses sources de friction envéniment l'atmosphère, certaines conjoncturelles, d'autres récurrentes, comme le processus de nomination de l'évêque de Malte qui implique un accord entre trois parties, le Saint-Siège, Malte et ce royaume...

De toute façon, une institution aussi orgueilleuse et consciente de sa force que l'Ordre ne peut s'entendre correctement avec son voisin de palier parfois ombrageux dont[2] elle dépend de surcroît pour son approvisionnement. Les picotements sont quasi quotidiens entre les deux îles et le resteront bien que, *in fine*, Palerme finisse toujours par ravitailler Malte, même après avoir exercé quelques mois de chantage à la faim.

Qui pourrait parler d'un impérialisme maltais sans provoquer des sourires sceptiques ? Mais, même si les « colonies maltaises » n'ont pas été conquises à la pointe de l'épée, ni à grands coups de goupillon, il est avéré que les gouvernements de Malte ont, durant le XVIIᵉ siècle, succombé à la mode européenne de l'ambition coloniale et que la Malte des chevaliers se comporte, en fait, comme une puissance banale de son époque.

Malte a ainsi négocié l'achat de la Corse à la République de Gênes incapable, elle aussi, de maîtriser les aléas insulaires. Mais cela relève davantage de l'expansion territoriale que de la colonisation. En revanche, lorsque le grand maître provençal

---

1. Qu'il était formellement et juridiquement d'ailleurs. Rappelons-nous la location de l'archipel contre le faucon.
2. Par temps clair, de Malte, on aperçoit nettement l'Etna et la côte sicilienne.

Jean-Paul de Lascaris[1], qui régna entre 1636 et 1657 (et mourut à 97 ans), négocie l'achat d'îles dans les Antilles françaises, acquiert celles de Saint-Barthélemy, Saint-Christophe et Saint-Martin ainsi que Santa Cruz, on sent dans cette action la volonté de procéder de la même manière que les autres puissances temporelles. Avait-il un autre objectif ? Ce n'était sûrement pas la chasse aux Barbaresques dans le canal de Cuba ou le trafic des épices ou des esclaves...

Combien différente serait l'histoire de l'Ordre si ces possessions d'outre-mer n'avaient pas été plus tard revendues à la Compagnie hollandaise des Indes orientales qui, elle, s'était établie en 1621 pour faire du négoce vers les côtes américaines ?

---

1. Dont une des nombreuses caractéristiques fut qu'on le reconnaissait comme le plus laid des souverains de Malte...

CHAPITRE XII

LES TERRIBLES GALÈRES DE MALTE

Avec la défense de Rhodes et de Malte, les hospitaliers ont démontré leur savoir-faire et leur bravoure dans les combats terrestres, mais ce sont avant tout des marins. Lorsqu'ils débarquent pour porter le fer au cœur des dispositifs terrestres ennemis, c'est pour se réapprovisionner en esclaves et en galériens. Quand on attaque Hammamet, on capture 396 esclaves, à Patras 392. En près de trois cents années, la flotte n'a perdu la bataille que six fois mais a remporté de multiples victoires.

Fermement commandée par le général des galères, l'escadre maltaise opère en meute se précipitant sur sa proie. Elle se meut à une vitesse supérieure à celle de tous les navires en Méditerranée et est la terreur des Ottomans et de leurs séides, les Barbaresques. Sa réputation est terrifiante : dès que le pavillon rouge à croix blanche est aperçu, les navires turcs tentent de s'échapper toutes voiles dehors et rameurs survoltés. Quand ils sentent qu'ils perdent du terrain, ils n'hésitent pas à se jeter sur la côte la plus proche, et à fuir à toutes jambes en abandonnant leurs embarcations. Les riverains habitant les villages ou les oasis côtiers font de même dès qu'est signalée une galère de l'Ordre pour éviter la capture et l'esclavage.

La galère est restée longtemps le moyen de transport privilégié de ces moines-guerriers : jusqu'à ce qu'elle soit détrônée vers 1750 par le vaisseau de ligne avec lequel, d'ailleurs, elle cohabite pendant plusieurs décennies.

Le coût de l'armement d'une galère est très élevé. L'Ordre laisse souvent des particuliers financer sa construction et son entretien par l'entremise de fondations auxquelles ils participent, tout en conservant la charge des équipages et de l'armement dont elle est dotée. Plusieurs chevaliers dont quelques grands maîtres sont assez riches pour s'offrir l'honneur de posséder un tel outil et de le commander au combat.

Une galère n'est pas uniquement un investissement de prestige ; bien commandée, elle peut rapporter gros lorsqu'elle capture un Turc ou un Barbaresque chargé jusqu'à la gueule de riche butin. Les marchandises ne sont pas les seules à compter. Les captifs sont également source d'imposants revenus car on peut en négocier le rachat et, avant d'obtenir la rançon désirée, on fait suer allégrement le burnous soit à terre comme serviteurs, soit en mer comme galériens.

Mais, et c'est une source d'étonnement majeur, il est avéré que l'escadre de galères maltaises comporte peu d'éléments : rarement plus de six[1]. Très sollicitée à Malte, une galère a une courte durée de vie : sept à huit années. Et il convient de relever qu'une sur trois seulement sort des trois cales de construction maltaises de Birgu et de La Valette, les deux chantiers navals de l'Ordre : la plupart sont bâties à Marseille, Toulon, Gênes ou... Amsterdam. C'est, par ailleurs, la technologie française qui donne le *la* en matière de conception et rationalisation de construction de ces navires, allant jusqu'à préfabriquer des éléments qui sont assemblés dans ses propres chantiers ou exportés à Malte qui, manquant de tout, doit faire venir de l'extérieur chaque matériau. Il fut un temps où Colbert s'enorgueillissait de construire quinze galères royales en trois mois...

Certes, pour les accompagner, voguent des navires plus petits, plus souples d'emploi et moins coûteux comme les chébecs, de

---

1. De trois en 1530, leur nombre passe à six en 1562 et à huit en 1686.

conception turque et aussi bien armés qu'elles, des galiotes, des mahonnes, des frégates, des *scampavias*, des *senzilles*, des galéasses, des caramusalis, des caïques, des *speronaras (xprunara)*, des felouques, des tartanes... presque tous capturés lors des caravanes. En effet, dans les batailles navales, on essaie, autant que faire se peut, de récupérer les contenus avec les contenants, qui naviguent par la suite sous pavillon maltais.

Il y a surtout les brigantines de toutes tailles fabriquées pour la plupart dans les chantiers maltais et utilisées en missions de reconnaissance, comme rabatteurs ou auxiliaires des galères.

Une galère est un monument : très basse sur l'eau, mince et élancée comme une flèche et donc si sensible à la houle qu'elle ne peut sortir par tous les temps, elle peut mesurer 50 mètres de long et une dizaine de mètres de largeur, porte deux mâts et des voiles latines (avec une vergue inclinée à 45 % dont la superficie totale dépasse selon les vents 700 m²). Mais bien sûr l'essentiel de sa propulsion est due aux rameurs. On compte en tout une cinquantaine d'avirons, répartis presque également sur chaque bord. Mesurant de 10 à 12 mètres et pesant plus de 100 kilos, chaque aviron est actionné par cinq à six hommes assis sur un banc le dos à la proue et disposés selon leur taille et leur force ; le plus grand et le plus robuste est à l'extrémité intérieure qui nécessite une ampleur de mouvement largement supérieure à celle de celui qui est assis près du bastingage. C'est aussi le chef de nage, dans la mesure où l'on parvient à placer à cette position stratégique un *buonavoglie*[1], c'est-à-dire un engagé volontaire payé.

Un nombre significatif de rameurs, mais variant selon les années, est constitué de « volontaires » qui n'ont trouvé que ce moyen pour rembourser une dette et échapper à leurs créanciers. Une statistique le confirme : les sept galères de l'Ordre en service en 1650 sont armées par 2 024 esclaves ou condamnés et 659 de ces engagés volontaires.

---

1. Ces voyous qui, dès leur retour à terre, se répandent dans l'île à la recherche de mauvais coups ont laissé un tel souvenir que dans la langue maltaise un *banavolja* est un homme rusé et malintentionné.

La chiourme est composée d'esclaves, le plus souvent turcs ou barbaresques, mais aussi de condamnés chrétiens dont des Maltais. Tous sont enchaînés au pied gauche à leur banc.

La galère est un monde. Outre les 200 à 300 rameurs de la chiourme, on trouve à bord les argousins dont le rôle est de garder les esclaves et de les stimuler selon la méthode simpliste mais éprouvée du fouet. Les soldats sont ceux qui se lancent à l'assaut des navires ennemis éperonnés. Comme officiers, ce sont une dizaine de chevaliers qu'assiste une vingtaine de candidats à l'Ordre, les caravanistes, peu ou prou des aspirants de marine, des stagiaires.

Cette « faune », à laquelle s'ajoutent les inévitables barbiers-chirurgiens, les chapelains, les cuisiniers et les scribouillards vit des jours entiers sur les quelques mètres carrés disponibles, c'est-à-dire quasiment rien. L'aumônier de la galère dispose d'un autel portable, délicatement décoré, tenant dans une armoire qu'il déploie chaque matin près du château arrière où seul le capitaine, mieux loti que les autres, dispose d'une pièce minuscule. En tout souvent 800 hommes cohabitent dans cet espace si restreint... À ces humains (les galériens sont-ils réellement considérés comme tels ?) s'ajoutent les animaux vivants. Selon les époques et les saisons de chasse, chaque galère peut charger deux bœufs, 20 chèvres, 50 à 100 poules et la nourriture à l'avenant pour que ces « provisions » vivantes ne meurent pas de faim.

Au milieu du navire courant de la poupe à la proue c'est un étroit couloir, le coursier, sur lequel prennent place le chef de chiourme (le comité) muni d'un sifflet émettant un son strident afin de couvrir tous les bruits possibles, y compris ceux de la bataille et les cris des mourants, et ses assistants, les argousins, armés de fouets.

Comme la galère peut prendre la mer pour deux semaines au moins, il faut bien sûr entreposer des tonnes de vivres[1], des

---

1. Un accord a été signé avec le vice-roi de Sicile qui accorde l'exemption de taxes sur les victuailles destinées aux galères.

munitions, des gréements et des avirons de rechange... et quelles que soient leurs conditions, les hommes doivent y vivre, y dormir, y faire leurs besoins naturels... Parfois on charge le butin pour lequel il faut trouver de la place... La promiscuité, la puanteur – qui d'ailleurs signale l'approche d'une galère à plusieurs miles –, l'inconfort sont indescriptibles et c'est à dure école que sont mis les chevaliers lorsqu'ils sont tenus de « faire leurs caravanes », c'est-à-dire embarquer comme officier d'un équipage de ces navires. Parler de l'enfer des galères est un mot qui ne fait pas simplement allusion à la condition de galérien...

Cependant le service des galères représente la possibilité de progresser dans la hiérarchie, mais aussi la promesse de gains (la prise), lors des captures de cargos ou de navires de guerre ennemis.

L'Ordre ne transigera que rarement sur ses principes voulant qu'on ne puisse commander une galère qu'après trois caravanes, c'est-à-dire au moins trois embarquements donc peu ou prou six ans d'expérience. La réputation talentueuse de ces moines-marins dont nombre sont français parvint jusqu'à la cour et Louis XIV eut l'idée de débaucher certains d'entre eux pour faire pièce aux marines anglaise et hollandaise bien plus pragmatiques dans le choix de leurs officiers et, en conséquence, souvent victorieuses dans les joutes contre la flotte française.

À Malte les galères disposent d'un petit port parfaitement protégé situé entre le fort Saint-Ange et Birgu[1]. Halées du bord, elles négocient à l'aviron le dur virage pour s'engager dans l'étroit passage. Puis, bord à bord elles attendent paisiblement la fin des tempêtes ou des combats dans lesquels elles ne peuvent être engagées et procèdent à leur entretien. Parfois elles se donnent en spectacle, paradant dans le Grand Port pour un ballet nautique époustouflant destiné à frapper les imaginations

---

1. On est aujourd'hui étonné de son exiguïté. Il est visible juste après le casino de Venise sis sur les quais de Birgu-Vittoriosa.

ou simplement offrir un divertissement doublé d'un entraînement.

À l'évidence, la vie des galériens n'est pas une sinécure, et le fait de ramer pour un ordre religieux n'atténue en rien les duretés de la condition. Tout d'abord, ils sont tous rasés et n'ont pas même droit à la moustache, signe de virilité en Orient. L'aviron est lourd qui écorche les mains et il arrive, dans les poursuites notamment, qu'on rame pendant vingt-quatre heures d'affilée sans quitter son banc. La chiourme nourrit alors les rameurs en leur enfournant dans la bouche, sans qu'ils relâchent leurs efforts, un morceau de pain trempé dans du vin. Le plus souvent, quand les conditions de mer et de combat le permettent, l'alimentation – suivant l'idée qu'un bon rameur doit être solide, donc bien alimenté – consiste en de la viande fumée une fois la semaine, du vin, du poisson, de l'huile. Et surtout, on boit des quantités phénoménales d'eau, plus encore en été et quand la chasse impose une cadence d'enfer.

À bâbord, un emplacement étroit est réservé à la cuisine qui se fait sur un genre de réchaud à bois ou plutôt à broussailles. Le ou les cuisiniers sont souvent des hommes libres ; ils se font assister par les galériens fatigués ou blessés, ce qui n'est pas un véritable cadeau car il faut fournir à plusieurs centaines d'affamés quatre sortes de menus selon le rang des « convives ». Les membres libres de l'équipage sont bien traités, mais la discipline est de fer qui n'épargne aucun grade : trois mois de cachot à terre est une punition courante, même pour un chevalier qui peut faire face à des sanctions bien plus graves comme l'arrêt, l'amende, la perte temporaire de l'habit, la révocation définitive.

Pour les galériens, c'est la bastonnade. Comme on ne peut laisser s'infecter les blessures d'un galérien dues souvent aux coups de fouet, qui perdrait de son énergie (tout comme il faut savoir mettre de l'huile dans un moteur à explosion), on le soigne souvent sans qu'il cesse de ramer. Et les soins sont sommaires comme on peut l'imaginer : sel sur les plaies pour prévenir la gangrène et badigeonnage au vinaigre...

La galère est armée de 5 à 10 canons, mais on conçoit facilement qu'ils ne peuvent être placés sur les bords où se meuvent les avirons. Le combat se conduit davantage par assaut frontal, par quasi-éperonnage que par canonnade à distance. Et la tactique des bons capitaines est d'éviter de prêter le flanc au navire ennemi qui pourrait le percer de ses boulets. Il convient donc de toujours demeurer sur l'arrière du bateau attaqué et de monter à l'abordage sans qu'il puisse tirer.

Certains galériens peuvent monter à l'assaut des navires abordés afin de renforcer les soldats ou les valets dont les chevaliers peuvent se faire accompagner s'ils savent manier le mousquet. Dans ce cas, ils reçoivent en récompense une part du butin.

À terre, le galérien croupit la nuit dans des grottes-geôles situées au pied des remparts de La Valette et de Saint-Ange où les conditions de vie sont à peine plus confortables qu'à bord : la vermine prolifère, la nourriture est succincte et on est soumis le jour à toutes les corvées pénibles et dangereuses. La mort est l'hôte habituel de cette vie de rebut. Quand elle survient, c'est sans causer de surprise. Si on meurt en mer, la sépulture est vite trouvée : à l'eau par le tribord[1] sans autre forme de procès.

D'ailleurs, en ce temps-là, qu'on soit galérien ou général des galères, peu savent nager, et les armures que portent par tradition les chevaliers ne laissent que peu de chances de survie en cas de chute à la mer. Or, les combats sont si violents qu'on succombe aussi souvent noyé que mortellement blessé. En cas de voie d'eau majeure, occasionnée par un boulet ou la proue de l'adversaire, on coule et souvent les galériens restent liés à leurs bateaux par leurs chaînes. En 1555, une tornade frappe le Grand Port. Quatre galères chavirent entraînant dans la mort plusieurs centaines d'esclaves enchaînés. On imagine les hurlements de terreur de ces pauvres gens ainsi tirés vers les abysses...

---

1. Le côté bâbord est réservé aux animaux crevés pendant la traversée...

En cas de succès à l'abordage, il faut organiser le transfert du butin à bord de la galère déjà surchargée ou la mise en place d'un équipage qui conduit le navire conquis dans le port à Malte. On libère les captifs chrétiens (et il faut savoir les distinguer des autres) et on «galérise» les infidèles après les avoir dûment enregistrés, moins selon leurs noms qu'ils peuvent celer que par les caractéristiques qu'ils présentent : cicatrices, tatouages, difformités, etc. Quant au butin, il est réparti à terre selon des règles minutieusement définies, et les litiges éventuels (et il y en a souvent) sont réglés par le tribunal *ad hoc*, l'Armement.

Les galériens ne songent qu'à recouvrer la liberté et à retrouver leur famille. Ils tentent donc de s'échapper et plusieurs évasions collectives restent gravées dans les mémoires. Les bateaux sont donc bien gardés et on retire les gouvernails et les avirons de toutes les brigantines une fois à terre. Une felouque est de garde à l'entrée du Grand Port à laquelle toute sortie doit être annoncée.

Afin de compenser la pénurie de galères et accroître les revenus dus à la piraterie, le grand maître accorde pour des durées limitées des lettres de course à des corsaires. Par icelles, il délègue le droit de mener la guerre navale avec des navires lui appartenant et arborant le pavillon maltais. La plupart du temps, ces corsaires choisissent des brigantines ou des felouques pour leur rentable activité. Ces capitaines ont plus d'un tour dans leur sac et parfois, ce sont des pavillons «de complaisance[1]» qu'ils hissent, choisis parmi ceux des nations amies du navire convoité, et plus aptes à endormir la méfiance de ces futures proies. Et souvent celles-ci sont déclarées ennemies parce qu'elles apparaissent pleines d'aubaines potentielles. Et c'est au grand maître qu'il revient de régler ensuite les innombrables litiges et problèmes diplomatiques

---

1. Sans être méchant on peut dire que c'est là une singulière prémonition des reproches portés à la Malte contemporaine...

que suscitent bien souvent de tels manquements à l'étiquette navale quand ce sont des navires amis ou neutres qui se sont fait plumer...

*

À Malte il n'y avait pas que les galères et, aujourd'hui encore, alors qu'ont vécu ces grands navires où la beauté des formes accueillait la souffrance des hommes-machines, subsistent ces petits bateaux colorés mus aussi par la rame mais davantage pour le sport et le plaisir des yeux qu'à des fins utilitaires.

Héritières des navires phéniciens, les *dghajsas* (ou *fregatinas* selon la connotation plutôt italienne) sont des gondoles élégantes et élancées comme des ballerines qui, initialement, servaient pour le transport de passagers entre Birgu et La Valette et entre cette ville et l'autre côté de la crique de Marsamxett (Sliema aujourd'hui). La proue des *dghajsas* ressemble étrangement à un cimeterre vertical et la coque est harmonieusement peinte selon le goût et le talent de son propriétaire qui ajoute toujours un œil d'Horus près de l'étrave afin de conjurer le mauvais sort. Des motifs floraux, des combinaisons de couleurs vives, qui donnent une fière allure à ces coques de noix, sont communément utilisés. Souvent une couleur domine qui indique le village d'origine de l'esquif.

Habilement mené par deux *barklors*, rameurs debout tournés vers la proue, ce bateau peut occasionnellement hisser une petite voile quand il va pêcher au large. Une dizaine de passagers peuvent y prendre place pour traverser le port et, pour s'attirer les suffrages des clients, les passeurs se font concurrence en peignant leur coque de noix aux couleurs les plus voyantes et en couvrant coquettement les banquettes de tissus immaculés.

Dans le temps, les *dghajsas* se trouvaient être le seul moyen de se rendre rapidement d'un point à l'autre dans la région portuaire car les charabancs à cheval ou à mule qui contournaient les criques prenaient plus du double du temps. Les

109

officiers de marine britanniques ainsi que les équipages qui avaient la permission d'aller à terre, louaient aisément quelques *dghajsas* pour quitter leurs bâtiments mouillant au milieu de port. L'amiral Mountbatten a toujours préféré ce mode de transport coloré à son canot major pour aller à terre, et les matelots anglais rentrant ivres à bord désiraient prouver leur sang-froid en restant debout sur l'esquif agité par les flots et parfois se dessaouler dans la fraîcheur de l'eau du port...

*

Hélas, l'ère de ce bateau-taxi est révolue. En revanche, le frère de la *dghajsa*, le *luzzu* est lui bien portant. Il encombre les ports et surtout celui de Marsaxlokk à Malte et de Xlendi à Gozo pour le bonheur de l'œil. En fait de couleurs et de pittoresque, ce petit frère des *ferillas* siciliens n'a rien à envier à son concurrent du grand port. Bateau de pêche de proximité, il convient encore aux pêcheurs locaux car il tient bien la mer, on peut lui ajouter un moteur et, plus rustique, il s'entretient facilement.

Il n'en demeure pas moins que tout comme ce fut le cas pour les galères, *dghajsas* et *luzzus* ont certainement leurs jours comptés. Alors que la construction de ces bateaux traditionnels est de plus en plus coûteuse, la simple décoration des ports grâce à ces tableaux vivants aux brillants coloris reste probablement leur seule raison d'être. Même si l'entrée de Malte dans l'Union européenne coïncide avec un renouveau du tourisme, il faut s'attendre à voir progressivement disparaître ce qui a été pendant des siècles une des caractéristiques de cet archipel isolé.

CHAPITRE XIII

LES PESTES DE MALTE

Malte a d'autres ennemis que le Turc héréditaire. Il craint les épidémies – comme la peste – et tente de s'en prévenir de toute son énergie. Il est avéré que depuis 1270, date à laquelle cette plaie aurait fait sa première escale néfaste à Malte, la grande faucheuse a récidivé neuf fois avant 1675 et a emporté des milliers de vies...

Il est donc légitime que l'archipel prenne les élémentaires précautions et que, à l'instar d'autres ports, vecteurs habituels de ces échanges peu reluisants, il organise un lazaret sur l'île Manoel au milieu du port de Marsamuscetto[1] dans lequel, quels que soient le rang, les titres, les richesses des arrivants, tous doivent demeurer pendant une durée variable mais souvent de quarante jours.

Le contrôle est strict, personne ne peut échapper à la surveillance quasi carcérale, encore que les plus huppés des « quarantainés » puissent bénéficier de facilités certaines comme des mets plus relevés que ceux offerts à la « valetaille » et un logement plus décent que les immenses salles communes. Les membres de l'Ordre rentrant de mission dans des lieux réputés infestés sont soumis, en théorie, à un régime identique.

----

1. Aujourd'hui Marsamxett.

Et l'on peut deviner les tentatives de compromission pour parvenir au contact de confrères et d'amis, pouvant entraîner des contagions multiples...

Certes, on peut chercher à négocier son temps de quarantaine, mais le commissaire à la santé se révèle le plus souvent implacable. La relation passionnante du sculpteur danois Thorvaldsen ayant fait cinq escales dans le Grand Port en 1797 et 1798 est instructive à cet égard qui décrit le lazaret et l'organisation de sa vie interne pour des centaines de gens réduits à l'oisiveté.

Cette crainte tourne parfois à l'obsession. Le grand maître portugais Vilhena (de 1722 à 1736) éprouvait une telle terreur de perdre trop de ses sujets sous le coup de la peste qu'il entreposait des tonnes d'ail dans des souterrains fort bien gardés sous les bastions de Floriana et de Kalkara. Cette plante aromatique détenant, à ses yeux, plus de vertus que l'or ou l'argent, il fallait la protéger de la convoitise des foules ou de gangs prêts à la dérober pour faire fortune en temps d'épidémie...

C'est probablement à cause de quelques brèches inévitables que la peste bubonique parvint à se frayer un passage et arriva à Malte en juin 1592, semble-t-il, sur la galère du grand-duc de Toscane qui venait de capturer un chébec turc. Un an plus tard, elle ravage l'archipel. Pour tout un chacun, le simple nom de peste suscite une terreur infinie. D'une part, elle signifie la souffrance et la mort certaines, de l'autre, elle est perçue comme une malédiction divine mystérieuse s'abattant sur les pécheurs. Elle est donc en plus un doigt accusateur et public, pointé sur les malheureux malades.

Les médecins sont dans le brouillard lorsqu'il s'agit de traiter ces maladies contagieuses. Ils craignent la contamination pour eux-mêmes et leurs familles et n'entrent pas dans les maisons où est recensé un pestiféré. Certains sont de bons spécialistes mais, trop liés avec leurs patients, n'osent leur annoncer la mauvaise nouvelle. La confiance qu'a le public local à l'égard du corps médical maltais est plus que limitée, ce qui semble curieux si l'on songe à l'immense renommée des hôpitaux régis par l'Ordre.

Malgré la gêne qu'il ressent à désavouer ses propres docteurs, le grand maître français Verdalle se résout à appeler au secours le vice-roi de Sicile qui choisit un homme d'expérience, le docteur Parisi. Cependant il n'était pas prévu qu'à son retour chez lui ce bon savant publie une relation de son aventure maltaise, décrivant ce qu'il a découvert là et les remèdes proposés. Un juge maltais à la cour des droits de l'homme, Giovanni Bonello, a retrouvé cet ouvrage et en fait une description succulente reprise ici. Cette photographie de la vie dans l'île et l'opinion d'un membre du corps médical de l'époque méritent qu'on s'y arrête quelque peu.

Parisi observe d'abord qu'obligés à une abstinence sexuelle totale, ou en tout cas réduits à « fricoter » entre eux, les prisonniers sont immunisés contre la maladie. Mais à son grand étonnement, il découvre aussi qu'en ces temps d'épidémie, l'activité sexuelle double tant chez les bien portants que chez les personnes contaminées, et en déduit que la rapidité de propagation de la maladie est probablement liée à ce phénomène bizarre... La peur de la mort, conclut-il, stimule inconsciemment les instincts de reproduction. Comme si, à l'approche du néant, on espérait survivre par procuration...

Sa conclusion scientifique est implacable : il est nécessaire de ségréguer les sexes, mettant les couples légitimes en des lazarets distincts afin qu'ils ne soient pas en contact. Les prostituées qui selon lui ne transmettent pas seulement des maladies vénériennes mais aussi par leur commerce vénal la peste, qu'elles aillent réfléchir en prison... et prier pour que le ciel cesse d'être courroucé. Quant aux gardiens et aux médecins des zones de quarantaine et de centres de détention, il est vital qu'ils restent chastes vis-à-vis de leurs captives et que les autorités sanctionnent tout manquement à cette règle impérative.

Pour Parisi, Éros et Thanatos restent intimement liés. Le sexe et la mort dansent ensemble un ballet infernal. Les médecins maltais eux-mêmes sont trop intéressés à poursuivre leurs relations lascives avec leurs jeunes et belles patientes pour avoir le courage de dénoncer aux autorités les symptômes du mal qu'ils décèlent en elles.

Il rapproche par ailleurs la propagation de l'épidémie des mouvements de la Lune et affirme qu'elle peut être causée par une éclipse ; il faut aussi se méfier des malades qui bâillent ou éternuent sans tracer un signe de croix sur leur bouche...

Cependant, il ne se prive pas de réprouver l'incinération prématurée de draperies, tapis, soieries, linge fin à laquelle il assiste dans les logis des contaminés, estimant déplorable et contre-productive une telle frénésie destructrice.

Dans la même veine, il promeut un arrêt du balayage des rues qui, trop vigoureusement mené, répand des poussières toxiques aux alentours et facilite la propagation. Il n'hésite pas à imposer la fumigation de logements et de quartiers entiers à la résine. Il recommande également de laver les maisons à l'eau de mer et de traiter les individus comme de la salade, à l'huile et au vinaigre. Il propose des remèdes plus sophistiqués, comme celui de se placer un sachet d'arsenic sur le cœur. Comme font les papes, ajoute-t-il... Autre prescription : boire dans des gobelets d'or car cela peut prévenir le mal, tout comme avaler des pierres précieuses... mais seulement lorsqu'il s'agit d'aristocrates ! Les pauvres, quant à eux, doivent se contenter de se frotter avec des excréments ou de l'urine de bélier. D'ailleurs, pour lui, ce sont essentiellement les pauvres qui disséminent la peste, et si celle-ci se propage dans les quartiers où demeurent les riches, c'est seulement parce que les pauvres y ont accès...

Toutes ces constatations nous font sourire ou pleurer, c'est selon. Mais Parisi parvient à un stade fort proche de la vérité quant aux origines de la maladie : elle peut être causée par des organismes microscopiques, affirme-t-il, allant même jusqu'à soupçonner les rats de les transporter. « Ne tuez pas les chats bien qu'ils aient aussi des poils, car ils peuvent éliminer les rats. » En revanche il encourage l'éradication des chiens peu amateurs de rongeurs. Dans la même veine, il propose au grand maître d'isoler hermétiquement les villages dans lesquels un cas se serait déclaré et de placer dans certaines rues de La Valette (et il fournit les noms que portaient les rues de l'époque, ce qui en fait un document précieux) un argousin pour interdire le passage.

L'épidémie s'éteignit et, en septembre 1593, Malte fut déclarée libre de la peste. Fut-ce l'action de cet éminent praticien ou le résultat des invocations qui montaient des églises et chapelles ? Toujours est-il que Pietro Parisi rentra modestement à Palerme couvert de présents et d'honneurs. Il relate avec orgueil comment les langues d'Auvergne, de Provence et du Portugal tentèrent chacune de recruter son fils Francesco dans leurs rangs. Finalement ce fut l'Italie qui eut cet honneur en le faisant chevalier d'obédience... Des épidémies suivirent : en 1676, une faucha entre 8 000 et 11 000 personnes et provoqua une terrible famine et un immense désespoir, puis du temps des Anglais en 1813, une autre fit 4 000 victimes, se révélant à peine moins meurtrière. Elle frappa les imaginations cependant, et les chroniqueurs de l'époque s'étendent sur le rôle des condamnés envoyés à la mort certaine pour récupérer et brûler les cadavres des pestiférés. Non seulement ces bandes de desperados ne cherchaient pas trop à savoir si les corps étaient vraiment sans vie, mais de plus, ils donnaient libre cours à tous leurs instincts, d'autant plus mauvais qu'ils se savaient eux-mêmes condamnés à brève échéance...

Peut-être est-ce dû à l'absence d'un bon docteur Parisi...

*

Mais une autre peste a fait rage à Malte : la corruption. Laissons notre regard se fixer sur les juristes maltais de la fin du XVIIIᵉ siècle, en suivant une méthode éprouvée plus haut, un jugement par les pairs...

Le grand maître français de Rohan fait appel en 1777, pour éradiquer ces vils maux que sont la corruption et la concussion des juges, ainsi que pour retoiletter la « constitution » de l'Ordre qui a mal vieilli, à un avocat italien chevronné. Maître

Rogadeo – de Bitonto – a pour mission de proposer la réorganisation du système judiciaire, la restructuration des cours de justice et éventuellement la modification de certaines lois issues du droit romain, c'est-à-dire ici des pratiques siciliennes. Après avoir tenu bon pendant près de trois ans à Malte, il rentre chez lui, convaincu qu'il est impossible de faire quoi que ce soit avec les Maltais. Cependant tout comme Parisi, il s'attelle à la rédaction d'un libelle plutôt salé donnant son opinion plus que féroce sur les pratiques découvertes chez ses chers confrères.

Sur 500 pages, il exhale avec vigueur et amertume son indignation quant au laisser-aller de l'administration de l'Ordre pour ce qui concerne la justice. Et c'est encore Giovanni Bonello, lui-même homme de l'art, qui dans son style inimitable nous relate ces rancœurs.

Ce qui le frappe au premier chef ce sont la bêtise et l'ignorance des juristes de tout poil qui montrent une incapacité crasse à comprendre les concepts les plus simples du droit. L'incompétence des juges (la plus haute fonction que les citoyens maltais peuvent atteindre à cette époque) le bouleverse. Il affirme que ces « professionnels » ne connaissent en fait que quelques formules qu'ils servent à toutes les sauces et trop souvent à contretemps. Mais surtout, ils ne savent pas raisonner correctement et confondent faits et hypothèses.

Ignorants, ils le sont à coup sûr, mais ils aggravent la mise en se montrant fats et convaincus de leur supériorité, comme si le monde tournait autour du nombril maltais. À les en croire, affirme-t-il, on aurait le devoir à Malte d'interpréter les lois différemment que partout ailleurs, car la situation de l'île l'impose, et, quant à l'application de la jurisprudence, c'est-à-dire l'utilisation sage des jugements antérieurs sur des cas approchants, elle se fonde sur les sentences erronées ou biaisées de prédécesseurs tout aussi corrompus qu'eux...

Il est donc compréhensible que l'ensemble de la classe juridique vive mal toute idée de réforme, et fasse la vie dure à ce pauvre juriste italien car la situation présente lui convient parfaitement. Toute modification du *statu quo* crée le risque de

mettre à bas des privilèges et des rentes de situation confortables et appréciées.

La soif de gain des gens de robe est insatiable selon ses
observations. Les pots-de-vin font partie intégrante de la
justice maltaise et ce qui l'horrifie est que plus le saint nom de
Dieu est invoqué, plus les prébendes reçues sont imposantes. Il
découvre et déplore que plus on est haut placé à Malte dans le
domaine juridique, plus on se montre plein d'appétence pour la
fortune d'autrui, et plus on s'ingénie à défendre bec et ongles
ses compatriotes coupables en jetant le blâme sur les étrangers
impliqués et en les condamnant systématiquement.

Aux yeux de Rogadeo, c'est à la cour d'appel que se passent
les plus épouvantables dérogations à la saine justice. Il accuse
l'*uditore* – en quelque sorte chef du parquet – de tous les
péchés du monde, démontrant que ses jugements à l'emporte-
pièce et énoncés sans examen des cas litigieux sont des modèles
de despotisme et une honte pour la hiérarchie judiciaire dans
son ensemble.

Il cite des cas où le peuple exaspéré caillasse les maisons des
juges, se rebelle contre leurs édits, provoquant même des
émeutes à Gozo à l'occasion d'une attribution de terres particulièrement scandaleuse.

Dépassant les errements des cours de justice, il s'aventure
dans les méandres de l'âme maltaise, fournissant maints exemples de la prodigieuse ingéniosité des indigènes à fomenter des
complots, entrer dans des conspirations afin de tourner toute
adversité à leur avantage. Fonder ses cabales sur le droit est la
marque d'un vice suprême conclut Rogadeo dont le livre
déclenche à Malte la fureur des gens de robe. Au point que le
grand maître doit intervenir pour soutenir ce pilier essentiel de
son gouvernement et bannit l'ouvrage de l'archipel.

Des réponses sont rédigées par des Maltais qui tentent maladroitement d'allumer des contre-feux et de réfuter les alléga-
tions de Rogadeo, sans pour cela parvenir à blanchir
suffisamment le système.

Que les furieuses assertions de l'avocat mandaté soient justifiées ou non, que le ressentiment provoqué par le mépris dans lequel ses collègues maltais le tiennent l'ait poussé à la calomnie, il est délicat de le prouver deux cents ans plus tard. Ce qu'on peut affirmer néanmoins c'est que, en 1777, le régime de l'Ordre est déjà en pleine décadence qui s'accélère avec les années. Il ne lui faut qu'à peine vingt ans de plus pour tomber comme une poire mûre dans les rets de Bonaparte. En six jours, celui-ci va remodeler entièrement le système et lui substituer le droit français qui continue en grande partie à être appliqué aujourd'hui.

*

Médecins, juges, avocats... la description des mœurs des notables de cette période ne peut se clore sans l'évocation du mode de vie des chevaliers, officiers de « l'armée nationale » maltaise, ni des vocations comme celles du clergé si nombreux à Malte. Mais il convient d'abord de nuancer ces deux témoignages si négatifs.

Science non exacte et soumise aux modes, la médecine est souvent l'objet de sarcasmes méprisants, et on sait même avant Molière que deux praticiens appelés au chevet d'un malade n'ont que rarement la même idée du mal et du remède à administrer. De plus, on peut supposer que Parisi a plutôt traité avec les médecins civils qu'avec ceux de l'hôpital de l'Ordre dont la formation est rigoureuse et la réputation excellente.

Certes, ce n'est qu'en 1679 que fut fondée une école d'anatomie et de chirurgie où – pratique interdite dans les autres pays chrétiens – des dissections de cadavres sont menées notamment sur les corps des chevaliers décédés à l'hôpital... Mais de tout temps les médecins de l'Ordre ont été reconnus comme les meilleurs d'Occident.

Quant aux juristes maltais, notre jugement pourrait différer quelque peu de celui de Rogadeo. De nos jours également, le droit est le domaine vers lequel se tourne toute âme bien née à Malte. La pratique juridique permet l'acquisition d'une solide assise sociale et d'un confort financier certain qui ont pu conduire des collègues de ce méritant avocat, résolus à préserver les avantages acquis, à le rejeter et à repousser toute velléité de réforme. Mais même si on peut supposer que le ressentiment éprouvé par Rogadeo face à cet accueil peu amène a provoqué ses philippiques vengeresses, il faut se souvenir que le grand maître lui-même avait éprouvé le besoin de réformer la profession...

CHAPITRE XIV

LES DÉVIANCES RELIGIEUSES

La corruption n'est pas le plus pernicieux des désordres. Tant de vocations véritables à faire le bien déchaînent les esprits destructeurs. Mais l'Inquisition n'est pas là seulement pour surveiller l'ordre de Saint-Jean. À Malte, l'organe du Saint-Siège a de nombreux autres chats à fouetter. La sorcellerie et les pratiques ésotériques qui règnent dans tous les milieux de l'île sans exception préoccupent souverainement les gardiens de la doctrine catholique. Certes les grandes épidémies, les guerres, les duretés de la vie quotidienne même ne font que favoriser ce recours aux sciences occultes réputées capables d'apporter des solutions entières ou partielles à des difficultés contre lesquelles le culte « normal » ne peut rien. Malte est-elle plus touchée par ce phénomène que d'autres contrées où, on le sait, ces pratiques eurent aussi de beaux jours ? Si l'on s'en remet aux sources ecclésiastiques, il semble bien que oui.

Mais l'Église en ce temps-là et dans ces contrées soumises à de nombreuses influences extérieures se bat avant tout contre les infidèles, ceux qui lui ont fait perdre la Terre sainte et qui menacent l'âme de ses ouailles. Elle devient extrêmement sensible voire quelque peu paranoïaque dès qu'elle imagine déceler dans les croyances et les usages de ses fidèles la main pernicieuse de l'islam. Or, avec l'Espagne, Malte, est un des pays européens qui fut le plus profondément et durablement dominé par les musulmans. Les relations entre occupants et occupés n'ont pas que des conséquences génétiques. Pour l'Inquisition, même les âmes sont polluées par des croyances et des pratiques inacceptables pour l'Église et il convient non seulement de rester vigilants, mais encore d'anticiper ces maux.

Aggravant la situation en cette fin du XVIIᵉ siècle, l'archipel héberge encore un nombre important de captifs mahométans, de galériens, de prisonniers, de convertis dont la conversion paraît dictée par l'opportunisme, en bref, aux yeux des tenants de la dure orthodoxie, des esprits capables d'entraîner de naïfs fidèles dans des chemins de traverse. Comme on les considérait presque comme des animaux, le nombre de cette population n'est pas exactement recensé : peut-être 3 000 captifs musulmans, en majorité des hommes capturés sur des navires barbaresques. Seule la moitié est employée sur les galères, ce qui signifie que plus de 1 000 vivent au sein de la population dont ils sont les domestiques. Mais en 1709 on estime à 10 000 le nombre de galériens, tisseurs, carriers et domestiques musulmans résidant dans l'archipel. En revanche, quand en 1799 les Français occupent l'île, ils en comptent 2 000 seulement dont 600 Turcs et le reste de Barbaresques[1]. Que croire ?

L'Église n'est pas dupe, en tout cas, de la symbiose étroite que les esclaves sont censés vivre avec leurs maîtres. Elle se méfie de leurs tentatives pour se ménager des conversations spirituelles ou religieuses avec eux, obtenir leur confiance, entrer dans leurs soucis domestiques et, *in fine*, les entraîner à recourir à leurs services magiques et ésotériques... Car, curieusement, ils ont obtenu des « droits » dont ceux de vaquer librement dans les rues (certes affublés d'une vêture facilement identifiable), d'ouvrir des estaminets et, parfois, de ne pas rentrer dormir dans les caves d'esclaves. Et l'on n'a guère de peine à deviner ce que cette promiscuité peut produire et impli-

---

1. À l'inverse, en 1630 il y aurait 36 000 esclaves chrétiens seulement dans les bagnes nord-africains. En 1634, 25 000 sont captifs à Alger.

quer pour les chrétiens... et les chrétiennes. Car la plupart des pécheurs qui sont poussés à se confesser devant le Grand Inquisiteur sont des femmes. Que reproche-t-on à ces malheureuses ? Tout d'abord des fautes somme toute vénielles car fondées sur l'ignorance des doctrines, mais qui conduisent à la superstition. Ces monuments clandestins en l'honneur d'imaginaires saints, ces fausses reliques, ces lieux de pèlerinage non reconnus, ces envoûtements, invocations, impositions des mains... toutes pratiques surnaturelles visant à obtenir des guérisons, des succès voire la disparition de personnes haïes sont condamnées énergiquement et sans répit par l'Inquisition.

Les cérémoniaux rituels de communication avec les esprits ou pire avec le diable lui-même paraissent alors assez répandus et sont combattus avec la plus extrême vigueur. La consultation de devins, la pratique des haruspices, l'absorption de substances magiques pour faire cesser la stérilité ou parvenir à un poste convoité, la sorcellerie démoniaque menant à des réunions nocturnes sont des coutumes plus graves contre lesquelles l'Église montre les dents.

Et pourtant il ressort que l'Inquisition ne se berce pas d'illusions : ce serait plutôt à la bêtise qu'à l'adoration du démon qu'elle doit s'opposer. Elle utilise l'exorcisme à grande échelle, davantage pour impressionner les délinquants et leur entourage que parce qu'elle croit à une attaque des puissances du mal contre ses paroissiens.

Dans la société traditionnelle, les haines sont parfois ancestrales, et l'Inquisiteur sait qu'il doit veiller à ne pas se laisser naïvement entraîner dans des querelles sordides et avaler tout cru des dénonciations calomnieuses. Il investigue toutes les plaintes de voisins voire d'adversaires qui dénoncent des blasphèmes ou des conduites sexuelles prohibées, mais il demande des preuves solides lorsque des accusations de sorcellerie sont portées à son attention. Les archives de l'Inquisition citent pêle-mêle contre les *magaras*, sorcières maltaises, les accusations les plus disparates : maléfices, mauvais œil, sortilèges néfastes, rapports coupables avec des lutins (*farfarelli*), empoisonnement, et même chevauchement de balai au clair de lune... On n'hésite pas à dire qu'une femme est possédée lorsqu'elle manifeste un appétit sexuel jugé excessif...

Dans la société extrêmement patriarcale des petits villages de l'archipel, les femmes seules, célibataires ou veuves, constituent un important pourcentage de la population. Soumises à la volonté de puissance des autres femmes, et à leur jalousie, il leur est difficile de se défendre contre les accusations malveillantes. D'autant que dans leurs homélies, les curés incitent fortement leurs auditeurs à dénoncer toutes manifestations diaboliques, insistant sur l'extrême malignité du démon qui sait prendre toutes les formes humaines possibles pour tromper les humanoïdes et utiliser tous les mensonges pour les séduire. La société est conditionnée par le rôle du Malin agissant en son sein d'autant que, se montrant si fidèle et si soumise aux lois divines, Malte ne peut qu'être la cible privilégiée des puissances du mal acharnées, en représailles, à sa destruction.

Le choix se porte sur d'innocentes victimes, comme le montre la confession d'une certaine Betta Caloiro qui admet connaître par cœur des invocations au diable mais ignore leur signification. Dans les archives on trouve le témoignage d'une femme qui avoue être l'amante du démon qui vient régulièrement lui conter fleurette...

L'Inquisiteur se heurte aussi à la confiance des gens envers les guérisseurs et les rebouteux. Ceux-ci recrutent leurs clients dans tous les milieux, les pauvres comme les riches, les analphabètes comme les éduqués. Ils sont reconnus, honorés et, s'enrichissant, acquièrent une puissance certaine qui les rend presque intouchables. Mais quand ils échouent, ils sont classés sorciers qu'on charge de tous les péchés du monde et qu'on voue aux gémonies. Alors, on les dénonce, on les accable, on invente les méfaits les plus abracadabrants et on exige leur pendaison après torture. Et les véritables médecins ne sont pas les derniers à colporter des calomnies.

L'Église, par ailleurs, qui met à la disposition de ses fidèles toute une gamme de saints spécialistes de chaque maladie, voit d'un œil torve qu'on recoure aux médecines occultes et à la magie avant de manifester sa foi en les invoquant.

Le Grand Inquisiteur est préoccupé par la manière dont les chevaliers et souvent les clercs s'adonnent par ailleurs aux expériences magiques... Le fameux franciscain Giorgi a conquis à ces procédés des cercles éclairés au grand dam des aumôniers et chapelains de l'Ordre, pour une fois d'accord avec l'Inquisiteur.

Ceux-ci ont d'autres sujets de plainte contre les lettrés de l'île : ils s'adonnent à la lecture d'écrits litigieux. Tous ceux qui sont accusés de sorcellerie voient leur domicile perquisitionné à la recherche d'ouvrages figurant dans l'Index du pape Paul IV qui ne comprend pas moins de 550 titres.

Un docteur Thomaso fut condamné à plusieurs années de galère pour la simple possession du guide de médecine nommé *Les Clefs de Salomon*. En 1591 l'inquisiteur du moment va encore plus loin. Il prend *de facto* le contrôle total de la vie intellectuelle et des pensées des habitants de l'île en bannissant tous les livres sur l'astrologie, la nécromancie, la chiromancie, la numérologie, l'occultisme, l'hydromantisme, l'aéromantisme, l'onomantisme, le pyromantisme, le géomantisme, la lecture des augures et toutes les formes de divination ésotérique. Excusez du peu... Seul le magnétisme échappe encore à cet inventaire ; car il n'était pas reconnu... mais il sera plus tard à la mode.

Les confesseurs reçoivent l'instruction de rapporter aux Inquisiteurs tout aveu en relation avec la sorcellerie de près ou d'assez loin et, paraît-il, ils ne s'en privent pas.

Un ingénieur, Vittorio Cassar, fut accusé en 1605 par l'Inquisition de posséder une grande collection de livres sur la magie datant du Moyen Âge et inspirés par les anges et les esprits vivant sur les autres planètes. On a la conviction qu'il s'adonne à la nécromancie quand les enquêteurs trouvent chez lui des portions de chair humaine récupérées sur des condamnés pendus. Il reconnaît d'ailleurs avoir fourni à un de ses clients un os humain à brûler devant la femme dont il veut s'attirer les suffrages. Cas aggravant, Cassar lit l'arabe qu'il a appris avec un captif musulman retenu dans l'archipel par l'Ordre, qui sert d'ailleurs d'interprète aux autorités en cas de besoin. Il a aussi fourni à un jeune Maltais emprisonné une potion apte à lui permettre de résister à la torture de la corde[1] à laquelle l'Inquisiteur avait l'intention de le soumettre.

Cela s'ajoute à de nombreux autres faits qui conduisent l'Inquisiteur à le condamner à mort, ce qui fut fait le 6 août 1609. Mais, considéré comme un savant, Cassar a droit à une magnifique pierre tombale qu'on peut admirer dans l'église Sainte-Barbara de la citadelle de Gozo.

Deux des Inquisiteurs qui auront tenté de protéger Malte seront élus papes, Chigi comme Alexandre VII (1634-1639) et Pignatelli sous le nom d'Innocent XII (1691-1700). Être nommé à ce poste sur une île au cœur de la Méditerranée est paradoxalement une promotion pour ces gens d'Église.

*

Baignée par les parfums d'Orient et les influences arabes, Malte se perd entre conte et légende, songe et mensonge. Faut-il croire le comte de Cagliostro quand il affirme devant le tribunal qui le juge dans l'affaire du collier de la reine qu'il est né à Malte ? Sans doute non malgré les dires de celui qui connut un si grand succès parmi les aristocrates français entichés d'occultisme, puisque les enquêtes prouvent qu'il est né sicilien, Joseph Balsamo de son vrai nom. Mais ce curieux personnage est à la hauteur du merveilleux maltais.

Toujours est-il que ce charlatan génial se proclame fils naturel du grand maître Pinto tombé amoureux d'une esclave turque, princesse de Trébizonde capturée sur une felouque turque... Il se dit né à La Valette en 1743 puis expédié en Arabie où un

---

1. L'accusé est pendu par une corde au plafond, les pieds surchargés de fonte. Il est secoué comme un prunier afin d'accentuer les douleurs et provoquer ses aveux.

sage lui apprend les sciences secrètes. La saga qu'il décrit est plus que romanesque puisque, affirme-t-il, restitué aux Turcs, il est initié à l'occultisme par des maîtres bédouins et égyptiens.

Une fois encore, après Ulysse, saint Paul et d'autres, les vents jouent un rôle favorable car ce sont eux qui obligent Cagliostro à aborder de nouveau à Malte en 1762 en venant de Rhodes. Il y est si bienvenu qu'il est exempté de quarantaine par... Pinto lui-même, logé au palais du grand maître chez qui il concocte force élixirs et pierres philosophales. Il est même reçu dans l'Ordre. Quand il estime maîtriser la kabbale, l'alchimie et autres arcanes ésotériques, il se donne la mission de convertir à ces sciences secrètes la bonne société française au sein de laquelle il fait un tabac.

C'est Paris qu'il choisit pour publier ses Mémoires fantastiques en 1786 pendant « l'affaire », ce qui conduit les juges à mener des investigations poussées à Malte.

Maltais on non, l'Inquisition le guette et à Rome en 1789, le condamne à mort puis commue sa peine en emprisonnement à vie. Cet aventurier célèbre continue, jusqu'à sa mort en prison en 1795, à clamer son fabuleux récit, se disant maltais et fils du grand maître.

Un autre bateleur, certes moins génial que ce charlatan des charlatans, est Abate Giuseppe Vella qui, en 1783, sut convaincre le monde entier de sa découverte d'un codex coufique puis de la traduction en arabe de 17 livres perdus rapportant la correspondance entre les rois normands de Sicile et les califes cairotes. La publication de ces « extraordinaires documents » eut un effet positif en ce sens qu'elle attira l'attention des Européens sur Malte et la Sicile et provoqua un flot incessant de visiteurs curieux des étrangetés de ces lieux. Le goût pour l'orientalisme peut aussi être partiellement mis au crédit de cette mode parce qu'il obligea les gens à réviser leurs connaissances sur l'apport arabe en Europe du Sud.

CHAPITRE XV

GALERIE DE PRINCES

En mai 1606, un de ses coups d'épée ayant trucidé un mauvais garçon oblige le Caravage à fuir la justice papale qui le condamne à mort. Il se réfugie à Naples qui a l'avantage d'être la capitale d'un État indépendant, le royaume des Deux-Siciles. Il y peint quelques chefs-d'œuvre, seul ou en association avec des artistes divers.

Ne parvenant pas à obtenir l'amnistie romaine pour ses crimes, il accepte, semble-t-il, l'invitation du grand maître du moment, le Français Alof de Wignacourt[1]. Ses frasques napolitaines, nombreuses, mais probablement vénielles à l'aune de l'esprit régnant dans cette cité méridionale, ne lui valurent en effet pas les mêmes anathèmes qu'à Rome, et il est acquis qu'il se rendit librement à Malte. En effet, le temps de la construction de la cité de La Valette est passé qui cède la place aux travaux d'embellissement et de prestige, et l'Ordre bat le rappel d'artistes capables de participer à sa gloire non militaire.

À partir de 1607, le Caravage entreprend donc quelques œuvres dont la célèbre *Décollation de saint Jean-Baptiste* puis

---

1. Il y a eu deux grands maîtres Wignacourt : Alof (1547-1622) et Adrien (1690-1697).

peint le magnifique portrait du grand maître[1] qui lui vaut, reconnaissance oblige – contre les règles habituelles –, son admission comme chevalier de grâce en juillet 1608.

Mais mauvais sang ne peut mentir, et le Caravage commet à nouveau quelques délits dans une société largement moins permissive au fond que celle de Naples. Il est accusé d'avoir violé le fils d'un chevalier (qui n'aurait pourtant pas dû en avoir...) ou assassiné ledit chevalier, faute grave entre toutes, pour laquelle il est, bien sûr, embastillé. Prison, jugement, fuite de sa cellule du château de Saint-Ange, départ clandestin pour Syracuse...

Humilié par cette escapade qui ridiculise son prestige, le grand maître nomme une commission pour enquêter sur cette évasion inimaginable sans l'implication d'autorités de l'Ordre qui pourraient avoir partagé quelques turpitudes du peintre, ce qui « médiatise » davantage cet événement somme toute banal et de plus l'internationalise. De mauvais esprits affirment au contraire que c'est Wignacourt lui-même qui, voulant éviter un procès où seraient peut-être dévoilées quelques-unes de ses infamies, fit échapper ce témoin gênant...

La chasse au Caravage est lancée dans le monde chrétien, et pour commencer, sans craindre de désavouer le grand maître, le conseil applique un des règlements et retire en décembre 1608 l'habit de chevalier accordé inconsidérément à un criminel.

Il l'aura porté six mois...

D'autres documents laisseraient entendre que, en faisant accéder le peintre au rang de chevalier, l'Ordre n'ignorait pas totalement sa condamnation à Rome, car les services pontificaux se seraient empressés de l'informer des antécédents du nouveau promu. Mais, désireux de s'attirer un artiste de grand talent, il les aurait occultés.

Ces tribulations n'ont pas dû assurer au Caravage la sérénité nécessaire pour peindre, mais il reste assez fécond et l'apprécia-

---

1. Au Louvre.

tion de ses œuvres par ses contemporains vivant à Malte comme en Italie n'est pas indexée sur le cours de ses ennuis judiciaires. Il choisit toujours ses modèles dans son milieu, le petit peuple. Ses sujets sont des scènes de la vie quotidienne, des thèmes religieux et mythologiques.

Outre la *Décollation*, qui ravit les chevaliers car saint Jean est leur saint patron, *Saint Jérôme méditant* est une merveille [1] : Jérôme est soudain traversé par une idée, voire une révélation. Il faut qu'il la fixe sur un parchemin pour ne pas la perdre. Il est concentré, fébrile alors que l'ascétisme est indiqué par un crâne et un crucifix qui semblent l'avoir inspiré. La *Décollation* est plus théâtrale : la composition du tableau est équilibrée tout comme la lumière qui le divise. Le martyr et son bourreau sont les personnages centraux, mais l'émotion et la grandeur du moment sont confiées à des femmes glacées d'effroi.

En Sicile où il débarque proscrit et recherché, le Caravage parvient à exercer son art en produisant *Les Funérailles de sainte Lucie* et *La Résurrection de Lazare*. Il commet l'erreur de vouloir retourner à Rome, y fait naufrage et meurt de la malaria, misérable et abandonné de tous.

*

Le Caravage est indiscutablement le grand peintre de Malte (mais sa réputation fut posthume à bien des égards). Il suscite dans l'archipel et en Italie d'abord de nombreux émules mais aucun ne le dépassera : Carrache, Paladini, Reni, Lanfranco, Ribera, d'Aleccio, Stomer [2], tous ont adopté la violence retenue de leur inspirateur. Spada pousse si loin la volonté de ressembler à son idole qu'on le nomme « le singe du Caravage ».

---

1. Au musée de la cathédrale Saint-Jean à La Valette.
2. Ces deux derniers au musée des Beaux-Arts à La Valette.

Le thème très populaire à Malte qu'est la guérison du père de Publius par saint Paul est de Novelli[1].

Il faut attendre près de cinquante ans pour voir se lever un génie presque équivalent, Mattia Preti, peintre calabrais de la fin du XVIIe siècle, virtuose reconnu du baroque, dont plusieurs tableaux magistraux et certains retables sont exposés dans diverses églises et musées. Il est honoré principalement pour ses fresques époustouflantes de la voûte de la cathédrale à La Valette, où, en 18 tableaux, il narre la vie de Jean le Baptiste, patron de l'Ordre. Preti est un coloriste génial qui a connu Rubens et participé à l'école vénitienne et qui, à ses débuts tout au moins, se révèle un caravagiste passionné. Puis il abandonne les clairs-obscurs de son maître et verse dans le théâtral lyrique, bouleversant l'ordonnance de la cathédrale Saint-Jean pour mettre en valeur ses compositions. Son arrivée correspond à un renouvellement de l'inspiration picturale à Malte.

Il ose utiliser les talents d'une femme, carmélite de surcroît, qui se spécialise dans les portraits, silhouettes et visages de femmes et à laquelle il laisse les mains totalement libres : sœur Marie de Dominicis est une dominicaine maltaise, jeune et belle, qui est autorisée à sortir du couvent malgré la règle. Et les badauds ébahis l'observent soulever sa robe de bure pour grimper sur les échafaudages de la voûte au milieu de compagnons rugueux qui parviennent en son improbable présence à retenir leur vert langage...

Preti se pose définitivement à Malte dont il est désormais le fils adoptif et qu'il flatte par son talent plein d'émotion et de mysticisme, et son art subtil du trompe-l'œil. Il a longtemps rêvé d'être reçu dans l'Ordre en reconnaissance de sa gigantesque œuvre, mais il est probable que le précédent malheureux du Caravage a refroidi les bonnes volontés. Et en dépit de son ultime tableau dépeignant Jean le Baptiste présentant l'étendard de l'Ordre à la Sainte-Trinité, malgré son désintéressement car

---

1. Église des jésuites à La Valette.

il n'accepte aucune rétribution pour les années passées au service de l'Ordre, il n'est fait que chevalier de grâce avant sa mort en 1699 et repose dans la cathédrale sous une dalle sur laquelle est inscrite la glorieuse épitaphe : « Il laisse une œuvre si belle qu'elle peut servir de modèle aux générations à venir jusqu'à la fin des temps. »

Tous ces peintres sont considérés comme des fils spirituels du Caravage, qui prolonge ainsi son influence, même si Preti ne faisait pas mystère de sa répugnance pour la vulgarité des modèles de ce maître.

*

Un autre peintre, français celui-ci, contribue à la gloire de Malte : Antoine de Favray, né en 1706 à Bagnolet, fut invité à l'Académie de France de Rome par son mentor Jean-François de Troy alors directeur de cette prestigieuse institution. La mort de Mattia Preti laisse l'Ordre sans talents officiels, et il faut patienter jusqu'en 1744 pour que le grand maître de l'époque, le Portugais Manoel Pinto, qui commence son long règne de 32 années (de 1741 à 1773), songe à relancer la politique d'enrichissement artistique du « couvent ». Favray se retrouve donc à Malte, probablement tenté lui aussi par le mécénat très actif de l'Ordre et les avantages qui en découlent.

L'ambition du jeune Français est alors de devenir le mémorialiste historique de l'ordre de Saint-Jean. Seuls les peintres et les écrivains pouvaient en effet se prévaloir en ce temps-là de faire une œuvre de mémoire, en fixant pour la postérité des scènes, passagères peut-être, mais essentielles pour comprendre l'époque. Il peint des paysages et s'attache aux costumes traditionnels, des femmes notamment. Il décore plusieurs églises et, suivant en cela la trace du Caravage, est reçu en 1751 servant d'armes de l'ordre de Saint-Jean.

Aux antipodes du Caravage, Favray est tranquille, effacé, bon père de famille. Il est moins flamboyant mais son humilité et son souci de ne pas se placer sous les feux de la rampe sont cependant battus en brèche car le grand maître a le désir de participer de l'engouement qu'il suscite et lui mande de le croquer. C'est ce magnifique portrait en pied figurant en bonne place dans la sacristie de la cathédrale devant lequel il convient de s'arrêter car il est extrêmement révélateur de l'état d'esprit régnant à cette époque à Malte, ainsi hélas que de la tournure d'esprit de Pinto lui-même.

Ce portrait majestueux expose plus que tout autre les volontés des chefs de l'ordre de Malte de ne céder la préséance à quiconque : Pinto, en effet, a choisi de se montrer en souverain vainqueur des Turcs dont il foule un bouclier jeté à terre. Raide, l'allure arrogante, la pâleur de son visage accentuée volontairement, de sa main droite il indique sans ambiguïté sa couronne de monarque[1] surmontée d'une grande croix de Malte. Pinto est prince veut-il signifier, maître chez lui, égal parmi ses pairs. Il pose devant des rideaux de pourpre, couleur royale, dans un décor typique de l'époque lorsqu'on représente les rois.

Mais, simultanément, il est revêtu de son habit monacal noir, tranchant donc par son austérité sur le luxe qui habille les autres rois et empereurs soucieux de frapper les esprits par la magnificence de leurs atours. Il se montre donc en moine, prêtre et fier de l'être.

Plusieurs fonctions importantes assumées ainsi par un seul homme : aujourd'hui seul le pape le peut – même s'il se veut prééminent spirituellement avant que de se présenter comme le chef de l'État du Vatican. Pour Malte, les deux concepts de souveraineté et d'autorité religieuse suprême ont une égale importance.

Favray a trouvé là une autre vocation et se met au service de l'histoire de l'Ordre en peignant les grands maîtres ayant vécu à

---

1. L'héraldique fait bien la distinction entre les couronnes royales ouvertes et fermées. Celle que montre le doigt du grand maître est fermée, c'est-à-dire la première en importance.

Malte avant son temps : L'Isle-Adam que nous connaissons et La Valette bien sûr, notre héros. Mais aussi le dernier Français de la lignée, Rohan.

En septembre 1760, un curieux événement se produit. Sans crier gare, une galère turque pénètre dans le port. Après le premier émoi que suscite cet événement extraordinaire, constatation est faite que la *Couronne ottomane* est aux mains de galériens chrétiens qui ont faussé compagnie à leurs maîtres occupés à faire leurs dévotions dans une mosquée en Libye... La fureur du sultan de Constantinople est à son comble qui menace Malte de tous les feux de l'enfer pour récupérer le navire amiral. Mais face à la mauvaise volonté du grand maître pour restituer cette magnifique prise, et en désespoir de cause, il sollicite l'aide de la France.

Les tractations sont longues et délicates, mais finalement l'Ordre succombe à la pression de Versailles et donne satisfaction au propriétaire qui, de plus, exige que la reconduction de sa galère dans son port d'attache s'effectue sans l'ombre d'un seul de ces maudits chevaliers à bord. On ne sait pas comment Favray, pourtant chevalier lui-même, réussit à embarquer sur ce vaisseau qui, sous pavillon à fleurs de lis, regagne la grande métropole du Bosphore.

Voici le peintre conquis par la lumière et l'atmosphère de la Corne d'Or. Alors que cette escapade ne devait durer que quelques mois tout au plus, il est si fasciné par les paysages, les costumes, le mode de vie oriental qu'il choisit de demeurer à Constantinople. Cette idylle se termine en 1771 car, la guerre éclatant entre la Russie et la Turquie, Vergennes, l'ancien ambassadeur de France auprès du Grand Turc devenu ministre, lui conseille de rentrer. Entre-temps, il a peint des dizaines de tableaux et figure en bonne place parmi les orientalistes français au côté d'illustres personnages comme Fragonard, Delacroix, La Tour, Fromentin, Gérôme pour ne citer que les plus connus.

À Malte il entame alors sa seconde période, très productive. À plus de quatre-vingts ans, il peint comme un forcené malgré une vue qui baisse, et mène à bien nombre de portraits et de scènes villageoises qui consacrent son talent.

Déjà en déclin, l'Ordre se meurt lentement, mais peut cependant exprimer à Favray sa reconnaissance pour sa longévité et sa fidélité en lui octroyant en 1783 la commanderie de Valcanville dans le Cotentin.

Refuse-t-il inconsciemment de rencontrer Bonaparte, l'homme qui tout autant que la Révolution française concrétise la décrépitude finale de Malte où il a vécu pendant 54 ans ? Toujours est-il qu'il rend l'âme le 27 février 1798, trois mois avant le débarquement du vainqueur d'Arcole...

On trouve ses œuvres dans divers endroits de Malte, mais aussi au Louvre et surtout à l'Ermitage qui expose son célèbre *Intérieur de la cathédrale*.

À l'évidence, il existe des différences fondamentales entre le Caravage et Favray autant pour le style et la manière de peindre que *intuitu personae*. Mais ils ont un facteur en commun : issus de l'étranger, venus ensemencer et révéler la nation maltaise, ils sont désormais considérés et honorés comme de véritables fils du pays par Malte.

CHAPITRE XVI

LE CHARME DES RUES
DE LA VALETTE

Nous connaissons les origines de La Valette de même que les motifs stratégiques impérieux mis en avant pour occuper ce site ingrat. Il me paraît plaisant de discerner maintenant le génie des architectes pour utiliser des collines escarpées et un dos de chameau fort étroit. Ils en ont fait, en effet, une ville moderne à l'aune du XVIIᵉ siècle mais aussi terriblement méditerranéenne et exotique pour nous, citoyens du XXIᵉ.

Presque trois cents années avant le baron Haussmann, le grand maître La Valette avait inventé les rues parallèles et se croisant à angles droits. Il invoque des raisons militaires – tout comme les stratèges du second Empire refusant l'éventualité de combats difficiles dans les rues tortueuses –, et l'esprit de géométrie : la péninsule étant oblongue, elle doit être peignée dans son droit fil avec un instrument aux dents égales. Ainsi, contrairement à toutes les villes de son temps[1], La Valette est construite selon un plan précis qui inspirera le quadrillage en damier de New York au début du XIXᵉ siècle.

La ville doit être aussi une forteresse imprenable. Il est en conséquence hors de question de faire descendre agréablement

---

1. Neuf-Brisach en Alsace est bâtie suivant un plan identique.

les ruelles vers le bord de mer afin que les bourgeois en mal de fraîcheur viennent s'y promener le soir. Des immenses et hautes murailles longeront les deux ports et enserreront toute la partie habitée en la protégeant contre les incursions maritimes.

Du seul côté lié au reste de l'île, le sud, trois portes à franchir tout d'abord dont celle, splendide, qui demeure, la porte des Bombes. Puis un vertigineux fossé ne sera franchissable que par un pont-levis, aujourd'hui transformé en pont de pierre situé en continuation de l'actuelle Republic street. Deux formidables bastions cavaliers flanqueront cet unique passage dont les feux pourront se croiser et qui seront reliés l'un à l'autre par un souterrain si vaste que les chevaux et leurs équipages pourront l'utiliser afin de se porter mutuellement secours en cas de besoin : le fort Saint-Jean est aujourd'hui l'ambassade de l'ordre de Malte près de l'État de Malte... alors que Saint-Jacques est devenu un magnifique musée.

Au nord sera remonté et étendu le fort Saint-Elme, profondément détruit pendant le Grand Siège dont la position reste incontournable pour le commandement des entrées des deux ports à son Est (Marsamxett) comme à son Ouest (le Grand Port).

Lieux de vie des chevaliers, les auberges seront réparties sur l'étroit territoire de la cité de façon que leurs locataires puissent au plus vite rejoindre leurs positions de combat sur les remparts qui leur sont alloués. Chaque langue aura sa propre église, souvent construite à côté de l'auberge. Et aujourd'hui, à l'exception des auberges de France et d'Allemagne démolies lors des bombardements de 1941, les autres splendides bâtisses témoignent du soin que les langues portaient à traiter leurs ressortissants mais aussi à afficher fièrement leur pavillon national...

Le maître architecte est le jeune Francesco Laparelli[1] qui fortifia Florence dans la perspective de la guerre que lui

---

1. Né à Cortone en 1521.

menait Sienne en 1555, puis travailla pour améliorer les défenses des États pontificaux. Recommandé par le duc de Florence, il avait déjà visité les différents sites autour du Grand Port. Il fut donc capable dès janvier 1566 de proposer un projet. Mais la main-d'œuvre et les fonds ne suivant pas, des dissensions se faisant jour au sein du conseil, et les continuelles tergiversations du vice-roi de Sicile se poursuivant, la pose solennelle de la première pierre n'intervint que le 28 mars 1566[1]. Une pierre gravée témoigne de la grandeur de la cérémonie et une poignée de médailles frappées pour l'occasion est enterrée dans un coffre en plomb.

La construction démarre d'emblée malgré les énormes difficultés que soulèvent les pénuries généralisées de l'après-siège, la configuration bouleversée de la colline mais surtout la pauvreté intrinsèque de l'île. À part les pierres, tout manque. Le bois, à l'évidence, le métal, les outils, la nourriture pour les trop rares artisans demeurant encore dans l'archipel et spécialisés dans les divers secteurs d'activité.

Laparelli a calculé qu'il lui faudrait 3 500 hommes de métier vivant et travaillant sur le site pendant au moins trois mois soit, affirme-t-il optimiste, 345 000 hommes/jours[2].

Dès la fin de 1566 8 000 ouvriers sont en permanence sur le chantier, et on voit tailler les murailles directement dans le roc et creuser les 26 vastes citernes, les 9 silos à grain, l'immense magasin de poudre qu'il a prévu, anticipant de nouvelles attaques. Presque tous les soirs, le grand maître quitte avec regret le site dont il admire la transformation après avoir entendu les récriminations des maîtres d'ouvrage qui se plaignent tous du manque de main-d'œuvre qualifié, tout comme de manœuvres.

---

1. On ne peut qu'admirer la promptitude des décisions au regard des procédures actuelles. En ce temps-là, cependant, des blâmes acerbes s'élevèrent qui condamnaient le temps perdu à discutailler.
2. On peut difficilement comparer le rendement d'un coupeur de pierres équipé d'une scie à main avec l'efficacité du matériel moderne. Mais il travaille effectivement plus de 12 heures par jour.

Et pourquoi ne pas utiliser les esclaves, lui demande-t-on ? Pour ne pas démunir les galères qui continuent à écumer les mers, harceler et affaiblir le Turc... et rapporter un butin précieux finançant partiellement les immenses dépenses du moment, ils ne seront pas embauchés.

Accusé de ne pas tenir les délais, exaspéré par ses relations avec plusieurs baillis de l'Ordre, confronté aux maints problèmes et incompatibilités entre l'érection de La Valette et la reconstruction de Birgu et Senglea, Laparelli tire sa révérence en avril 1568. Comme on l'a vu, La Valette le suit de peu, car il meurt le 28 juillet.

Mais les fortifications sont déjà largement érigées[1], même si les nombreuses critiques dénoncent l'idée d'occuper toute la péninsule qui traduit un excès d'ambition : cette ville est trop grande, lance-t-on, et indéfendable en raison de l'étendue de ses remparts... Sont déjà nécessaires pas moins de 12 000 hommes pour tenir les parapets et constituer une réserve indispensable... et des centaines de pièces d'artillerie à servir pour défendre un tel périmètre : où les trouvera-t-on ?...

Geronimo Cassar devient architecte en chef, et de concert avec lui, le nouveau grand maître décide de se consacrer davantage à la ville elle-même. En dépit de l'opposition de la langue française qui voit d'un mauvais œil la dilapidation de ses commanderies, il demande au pape la permission de vendre des propriétés de l'Ordre pour financer les constructions relevant de la puissance publique.

*

Pour les maisons privées, des règles très contraignantes d'acquisition sont édictées dès 1569 qui fixent le style et la hauteur de l'architecture à Malte, l'obligation d'avoir une

---

1. Si on peut dire car presque partout tranchées dans le rocher sur des largeurs de 14 à 24 mètres et une hauteur pouvant atteindre 30 mètres... Les fossés secs que l'on peut voir de nos jours sont impressionnants.

cour, un puits, etc., mais pas de jardin... L'acquéreur d'un lot en coin de rues doit ornementer son angle, d'un oratoire souvent, et certains quartiers sont réservés aux palais. Même si on peut contester cet autoritarisme, il faut reconnaître qu'il a produit ce mélange si attirant de raffinement et d'austérité. La ville est véritablement le berceau du baroque triomphant, et le touriste aujourd'hui s'extasie devant l'harmonie de l'ensemble. On le voit bouche bée et la tête en l'air devant les galeries de bois aux couleurs éclatantes saillant de presque chaque façade. Il pense peut-être que les Anglais ont importé ici leurs *bow-windows*.

Or comme à Senglea et Birgu (mais pas à Mdina pour cause d'antériorité), ces excroissances sont ni plus ni moins que des moucharabiehs turcs que les Rhodiens emmenés en 1523 ont adaptés à Malte. Caractéristique des maisons particulières, la *gallarija*, balcon en bois fermé et doté de jalousies et de fenêtres sur trois côtés, permet avant tout de gagner quelques mètres carrés sur la rue pour agrandir la pièce principale de la demeure. Il permet aux femmes de la maison de vaquer à leurs occupations sans perdre le contact avec l'agitation si passionnante de la rue et, en conséquence, de rester aussi informées des potins que si elles siégeaient à la porte.

La priorité ayant évolué de la défense de la cité vers l'édification de demeures privées, maints ouvriers sont disponibles qui montent les immeubles à une vitesse d'autant plus impressionnante que, sur place, vivant dans des huttes ou des tentes de fortune, les futurs propriétaires ont hâte d'emménager... Et cela va vite : en 1581, le premier recensement donne déjà à la ville 2 000 maisons, une cour de justice, et on se bat pour trouver un lot à occuper et à construire... Mais le plan de la ville est rigoureux et pas un seul passe-droit ne sera accordé.

Quid du style des édifices de La Valette ? Le maniérisme qui sévissait comme une mode à Rome et dans toute l'Italie se reflète indiscutablement dans le « style Cassar ». L'architecture selon ces canons est un « art d'expression dont l'idée dominante est la beauté des formes ». Elle se veut élancée et élégante,

141

disciplinée et émotionnelle à l'encontre de la haute Renaissance, luxuriante, gigantesque...

Et c'est le 18 mars 1571 que l'Ordre s'installe officiellement dans sa nouvelle capitale, le grand maître montrant l'exemple en s'accommodant au préalable d'une cabine en bois de trois minuscules pièces. Et, deux ans plus tard, les auberges, ces casernes des langues, se voient désigner leurs emplacements définitifs, car les bastions finis, les affectations militaires sont enfin possibles.

Au sein de l'Église, le plus important mécène artistique du temps, un débat est en cours, on l'a vu, parallèlement au concile de Trente. L'enjeu est de définir les axes de la Contre-Réforme dans tous les domaines, y compris artistiques. À l'évidence, le maniérisme qui devait durer un siècle (entre 1520 et 1620 à peu près) est contaminé par le baroque qui le libère de contraintes trop rigoureuses.

La construction successive des auberges est très instructive concernant cette évolution. Les deux premières, celle de France[1] et de Provence sont sobres, austères. Les dernières, celles d'Aragon, d'Auvergne et surtout de Castille sont flamboyantes.

Quant aux églises – il en existe au moins quinze cossues dans cette ville en plus des chapelles des monastères et des demeures privées –, la patte de Cassar est indéniable. La plus belle, la cathédrale Saint-Jean, doit beaucoup au maniérisme espagnol pour son intérieur somptueux qui ne peut manquer de susciter la plus intense des émotions. Près de 400 pierres tombales splendides abritant beaucoup de chevaliers font de cette église le cimetière de la noblesse européenne[2]. La façade austère,

1. Détruite en 1941 tout comme celle d'Auvergne sur l'emplacement de laquelle s'élève la cour de justice dans Republic street.
2. Au XIXe siècle, les Anglais ont malheureusement permis à un architecte de modifier l'ordonnance du chœur. Les pierres tombales ont été déplacées et il n'est pas sûr que les occupants correspondent tous aux épitaphes. Cependant, la liste des chevaliers enterrés là existe.

presque militaire, rappelle plutôt la simplicité des églises de l'Ordre construites à Rhodes. Le même architecte est l'auteur de l'église Notre-Dame-des-Victoires, la plus ancienne (1566), Saint-Paul-le-Naufragé, de même que Saint-Augustin toutes deux excessivement baroques voire rococo.

Cependant l'Ordre n'oublie pas sa vocation charitable. Les «seigneurs malades» comme on y nommait les patients ont droit à un munificent hôpital qui se substitue à celui trop étroit de Birgu, et qui, agrandi sous le règne de Cottoner (1660-1663), reste le plus grand et le mieux équipé d'Europe : salles de médecine, de chirurgie, locaux spéciaux pour contagieux ou aliénés, meilleurs praticiens d'Europe qui, de plus, sont d'émérites chercheurs expérimentaux et inventent des procédés révolutionnaires (notamment opérations de la cataracte).

Sa salle principale, de dimension impressionnante, est la plus longue d'Europe, qui peut accueillir 600 malades couchés... Les seigneurs malades ont tous les droits : non seulement ils sont servis comme des rois par les chevaliers faisant office d'infirmiers (chaque langue ayant son tour quotidien de garde) dans une vaisselle d'argent, dégustent des mets de grande qualité et préparés avec un soin extrême, mais ils bénéficient encore d'un environnement luxueux dont l'élément le plus minime est la vue splendide sur le Grand Port. Certes, l'hiver peut être glacial car les vents coulis s'y faufilent, mais l'époque est moins frileuse...

Là passe chaque vendredi le grand maître accompagné du grand hospitalier qui est le pilier de France et tous deux se transforment humblement en serviteurs des plus démunis.

Malgré le manque d'argent en ces temps troublés, l'Ordre a un rang international à tenir : faisant suite au grandiose mais peu propice fort Saint-Ange, le palais des grands maîtres[1] réalisé également par Cassar à partir de 1572 répond parfaite-

---

1. Qui sert aujourd'hui simultanément de bureau du président de la République et de parlement.

ment à ce qu'un contemporain s'attend à trouver s'agissant du lieu de vie et de travail d'un souverain. Austère extérieurement pour souligner le caractère monastique de son hôte, il est somptueux à l'intérieur, à commencer par un magnifique escalier de marbre aux marches courtes pour permettre aux chevaliers de l'emprunter en armure, mais plus prosaïquement, au grand maître Perellos (1697-1720), perclus de goutte, de les gravir en quittant au rez-de-chaussée sa chaise à porteurs. Les salles se succèdent vastes et harmonieuses dont celle du trône ornée d'un plafond richement décoré et d'une tribune royale de laquelle le grand maître et ses invités écoutaient de la musique.

Dans la salle du grand conseil, Matteo d'Aleccio s'est chargé de faire connaître les faits d'armes du Grand Siège en une vingtaine de tableaux splendides agrémentés de cartouches explicatifs, en italien. Une autre équipe dirigée par Lionello Spada retrace dans une longue frise qui fait le tour des trois salles jaune, verte et rouge, les épisodes les plus marquants de l'histoire de l'Ordre : le miracle des pains de frère Gérard changés en pierres, le premier chapitre instaurant l'Ordre, la prise de Damiette en 1218, le départ de L'Isle-Adam de Rhodes et *tutti quanti...*

S'il peut pénétrer dans la salle des Ambassadeurs, le citoyen français d'aujourd'hui ne peut que frémir de fierté quand il tombe en arrêt devant les tableaux des rois Louis XIV, Louis XV et Louis XVI, ceux de deux grands maîtres français, et, dans la salle du conseil, sur une collection de tapisseries des Gobelins.

Cette série de huit « Anciennes Indes » a une histoire amusante car initialement les cartons viennent du Brésil dessinés à partir de croquis ramenés par un prince de la maison hollandaise d'Orange. Celui-ci en fit cadeau à Louis XIV en 1679 qui confia à la célèbre manufacture française le soin de les reproduire. En 1708 le grand maître Perellos les fit modifier de façon qu'elles tiennent dans la chambre du conseil où elles figurent encore. Il fallut deux années pour tisser ces rares tapisseries (dont un jeu subsiste au Mobilier national français et devrait tourner dans les ambassades de France), qui sont supposées représenter des scènes du Nouveau Monde

144

chargées d'exotiques faunes, flores, fruits et humains scientifiquement représentés. Sur leur chemin vers Malte, le navire qui les transporte est capturé par des corsaires qui obtiennent une substantielle rançon pour restituer la précieuse cargaison.

*

Il n'est pas toujours commode d'habiter une forteresse et les habitants laïcs de la ville durent se plaindre quelque peu de l'austérité de leur existence. Cela n'empêcha pas que, venant de la campagne mais surtout d'en face, des Trois Cités, ils affluèrent ; leur nombre passa de 3 000 en 1590 à 10 000 en 1614, puis doubla moins d'une décennie plus tard, créant d'énormes problèmes de congestion et amenant le gouvernement à interdire l'immigration.

À l'intention des habitants, Vilhena offre de ses deniers le jardin de Floriana à la sortie des remparts et plus tard un bastion tout proche de l'auberge de Castille est réaménagé en un jardin, Baracca[1], duquel la vue sur l'intérieur du Grand Port coupe le souffle. C'est seulement sous le règne d'Emmanuel de Rohan qu'est érigée (entre 1786 et 1796) une bibliothèque qui permit d'entreposer les très précieuses archives de l'Ordre et avant tout d'éviter la dispersion du riche patrimoine constitué par les bibliothèques privées des chevaliers décédés. Accessoirement, il s'agit de fournir aux habitants une pâture intellectuelle pour laquelle à dire vrai, une minorité de chevaliers et de civils manifestait du goût.

La capitale est donc en ordre. Mais comment vivent les Beltins[2] puisque c'est ainsi que se prénomment les habitants de La Valette ?

---

1. Qui fut ultérieurement réservé à l'usage exclusif des chevaliers au grand dam des civils.
2. Du substantif *belt* qui signifie « ville » en maltais et qui vient probablement de *bilad* « pays » et par extension « ville » en arabe.

Les premières années de La Valette furent aussi difficiles que celles d'un enfant souffrant de ses dents de lait : famine en 1579, pluies diluviennes en 1581, puis la peste et la famine encore en 1591. De façon générale, les 25 000[1] habitants recensés en 1574 ne semblent pas avoir un moral d'acier d'autant que l'effort est à nouveau porté sur l'édification de nouvelles défenses au détriment des travaux dans la cité elle-même. En effet, les Turcs ont refait leur apparition sous forme de raids meurtriers qui ont pour objectifs les villages côtiers et Gozo. Derrière leurs redoutables fortifications, les Beltins craignent moins les Barbaresques que l'afflux de réfugiés à l'abri des murs et, par-dessus tout, une ambiance instable et délétère qui leur rappelle le passé.

L'autre souci qui les ronge est l'approvisionnement en eau de leur ville. Il est en passe d'être résolu par la découverte miraculeuse d'une source puis la construction, entre 1610 et 1615 d'un aqueduc par le grand maître Alof de Wignacourt (dont on peut voir encore quelques magnifiques portions).

Les huit rues principales sont fortement pentues du nord vers le sud plus élevé d'une centaine de mètres, et les douze autres qui les croisent à angle droit se terminent pour la plupart par des escaliers menant aux ports, ce qui complique la desserte par les voitures à âne des vendeurs itinérants. Car s'il existe des marchés colorés et animés, la plupart des besoins quotidiens sont satisfaits par des colporteurs qui passent chaque jour dans les ruelles poussiéreuses et encombrées. Charrettes tirées par des prolétariens étiques qu'aident parfois des passants compatissants, ou attelées à des mules ou des ânes, étals rudimentaires de pacotille, *impedimenta* les plus hétéroclites. Le petit vendeur de lait tire sa dizaine de chèvres récalcitrantes et bêlantes qu'il trait devant les portes et emplit de lait chaud les récipients qu'on lui apporte. Son

---

1. Triste constatation : en 2000, les Beltins sont environ 7 000. L'inconfort des maisons de La Valette, la recherche de la lumière solaire les ont poussés à construire des maisons hors de la capitale...

confrère qui tente de placer ses gâteaux au fromage se déplace, quant à lui, avec un large plateau porté sur l'épaule. Le plus bruyant est indiscutablement le marchand de brocs, bassines, casseroles qui brinquebalent sur les pavés inégaux dans sa voiture à bras.

Les commerçants ambulants s'égosillent à qui mieux mieux pour annoncer leur passage : porteur d'eau ou de boissons rafraîchissantes qui approvisionne les petits logis ne disposant pas d'un puits ou d'un réservoir stockant l'eau de pluie, marchand de vin qui fait tinter ses gobelets, vendeuse de dentelles ou de fromages de brebis, et attendu comme le bon Dieu, le marchand de miches de pain... Le pêcheur est connu aussi pour sa « grande gueule » et son franc-parler, qui se doit de vendre ses poissons avant que le soleil ne les ait décomposés mais le petit paysan avec ses laitues, épinards et autres légumes n'est pas en reste non plus.

Pour disposer de plus de lumière que dans sa minuscule échoppe, un barbier opère dans la rue, entouré d'une nuée de gamins morveux, au milieu d'ordures gisant çà et là.

Des paniers descendent des *gallerijas*, et remplis par les commerçants ambulants, remontent lentement. Le portefaix qui livre des commandes monte des quais plié en deux sous ses énormes ballots et vocifère pour écarter les intrus de son passage.

Dans les quartiers populaires, comme à Naples, les fenêtres sont décorées de linge qui sèche au vent et les commères s'interpellent d'une *gallerija* à l'autre tandis que la rue grouille d'activités diverses.

Superbes et suffisants, les hommes d'armes se mêlent rarement au peuple sinon pour conter fleurette à une jeune fille sur le pas de sa porte, tandis que la maréchaussée au contraire affecte une bonhomie de bon aloi. Un moine en robe de bure, un prêtre ensoutané ou une nonne enveloppée dans ses voiles s'aventurent souvent dans ces rues et sont salués avec une déférence marquée. Quand on les connaît ou lorsqu'ils font la grâce de s'arrêter, on se précipite pour baiser leur anneau.

Parfois passe l'orgue de barbarie ou un quarteron de musiciens moustachus et chapeautés pour résister au soleil qui peut faire son apparition même dans les rues les plus étroites.

Souvent ce sont les processions qui fêtent un des nombreux saints patrons des églises et chapelles de la ville, ou, plus modeste, un cortège, enfant de chœur vêtu de noir et bedeau chamarré en tête, qui se dirige vers l'église paroissiale pour porter en terre un bon chrétien qui vient de mourir[1]. La plupart des chevaliers, eux, ont droit à la fosse commune. Les plus valeureux – ou les plus fortunés – reposent sous une dalle dans la cathédrale.

La Valette est une ville bruyante. Les gens s'interpellent en hurlant comme à la campagne quand on se parle d'une vallée à l'autre et donnent l'impression de se chamailler. Menuisiers, cordonniers, maréchaux-ferrants font un bruit d'enfer car en plus, ils chantent... Le tintamarre grinçant des charrettes surchargées sur les pavés disjoints les pousse peut-être à élever la voix, tout comme les criailleries des gamins qui se battent ou font tourner des toupies. Par-dessus tout cela, les cloches des églises se font concurrence pour attirer les ouailles vers de saintes préoccupations.

Les quartiers bas, ceux proches de Saint-Elme et ceux qui bordent les deux ports, sont populaires et malfamés. Les taudis sombres et étroits ne sont en effet occupés que par ceux qui n'ont que peu à mettre dans un loyer, les *hamallis*[2] dont les enfants, pieds nus comme la plupart des adultes d'ailleurs, jouent et se battent sur les marches. Très nombreux et variés, les artisans occupent les rez-de-chaussée et on vit dans les quelques pièces insalubres des étages. L'exiguïté des

---

1. Tout comme dans les pays musulmans, l'enterrement est très rapide après le décès. Climat et tradition obligent.
2. De l'arabe *hamala* qui signifie porter. En fait initialement donc des porteurs. Mais le terme est devenu péjoratif et désigne les petites gens brutaux et incultes...

logis, l'absence d'air surtout en été imposent une vie sociale tout extérieure.

La classe ouvrière n'a pas de vie privée à cause de la promiscuité : tous les soirs ou presque, on sort les chaises dans la rue, devant la porte. Assises devant leur métier à tisser, les matrones se font aider des bambins pour tenir la quenouille. Et soit en famille soit en y mêlant les voisins, on refait le monde en commentant les événements du jour. Des chants s'élèvent, traditionnels ou improvisés, pour se moquer gentiment d'un voisin et provoquant rires et commentaires puis répliques.

Certains jours, c'est la fête et les musiciens, orphéon improvisé ou non, s'époumonent avec leurs instruments à vent. Des régates de *fregatinas* ou de *luzzus* sont organisées soit dans le Grand Port soit dans celui de Marsamxett.

Les repas ne sont jamais des festins, loin de là. Le pain dont les Maltais sont très friands, le fromage et les légumes bouillis figurent à tous les menus avec du poisson séché parfois. Très rarement de la viande. On jeûne plus souvent qu'à son tour car l'Église veille et les transgresseurs sont dénoncés à l'Inquisition.

Souvent, cependant, on a un travail régulier, soit au service de l'ordre de Saint-Jean, le principal employeur, soit au port dans un des nombreux métiers proposés. Et pour minces qu'ils soient, les revenus sont assurés. Certes, on n'est pas riche, on « mange » l'intégralité de son salaire et on demande souvent aux enfants de gagner quelques sous en rendant des services aux riches. Car on n'a plus accès aux potagers de la campagne dont on est originaire pour s'approvisionner.

Le long des quais, c'est la pègre et les esclaves auxquels on a donné l'autorisation d'ouvrir des estaminets qui servent de lieux de rendez-vous et de boutiques de médecine occulte. À la tombée du jour, nombreux sont ceux qui ne rejoignent pas les cavernes-dortoirs. Leurs maîtres ont obtenu pour eux des dérogations qu'ils ont monnayées, bien sûr...

Dans les quartiers plus huppés, ceux du haut de la ville en général, les demeures sont toujours sombres (cette crainte atavique du soleil...) mais plus spacieuses. Des meubles français ou italiens de prix les ornent et une domesticité nombreuse s'y agite. Les chefs de famille sont qui médecins, qui notaires ou juges, qui hommes d'affaires, c'est-à-dire essentiellement intermédiaires commerciaux, armateurs, agents maritimes... Comme chez les pauvres, la progéniture est nombreuse, mais ces enfants-là vont à l'école chaussés...

Ces patriciens cherchent à se rapprocher de l'ordre de Saint-Jean d'où proviennent des revenus importants : marchés publics, constructions privées, importations de biens divers. Ils reçoivent chez eux les chevaliers qui refusent rarement une occasion de se divertir et... de faire connaissance avec les éléments féminins de la maison, même si les maris en viennent à penser que ces jeunes gens ardents s'intéressent de trop près à leurs épouses et à leurs filles.

Ces dames de la société ne peuvent sortir en public sans leur *faldetta*[1], longue robe noire dotée d'une capuche large et rigide comme un petit parapluie qui s'appuie sur la tête. C'est ainsi qu'elles se rendent à la messe à pied et souvent aussi, même pour un saut de puce, dans leur minuscule calèche à deux roues, dans certaines boutiques. On va, bien sûr, chez les unes et les autres, pour papoter, coudre de concert, chanter... autant que possible en fuyant les quartiers populaires.

L'origine de cette vêture unique est à rechercher dans la tradition musulmane, qu'elle ait fait auparavant escale ou non en Sicile.

Dans les quartiers riches, les rues grouillent de chaises à porteurs, de calèches, de passants s'exprimant dans toutes les langues de la région : des esclaves certes, dans leur tenue particulière et imposée pour les distinguer du peuple, mais aussi des chevaliers arborant fièrement, s'ils sont de service, leur culotte blanche et leur pourpoint rouge aux parements de couleurs

---

1. Ou *ghonella*. Sorte de tchador ou *burqa* que les femmes de la bonne société continuent de porter en dépit de l'évolution de la mode en Europe. D'origine arabe via la Sicile.

différentes selon leur statut, ou élégamment vêtus en civil s'ils ne le sont pas.

Les notables ont leur cercle, probablement aussi leur loge maçonnique à partir de 1750. Et comme dans toutes les villes méditerranéennes, les hommes et les femmes font bande à part.

Le clivage riche-pauvre est profond. Le pauvre est toujours illettré et rude. Il ne baragouine que le maltais. Le nanti généralement très cultivé parle italien, la *lingua franca* de l'île, celle dont se servent les membres de l'Ordre de toutes les nationalités pour communiquer entre eux oralement et par écrit. Les possédants prétendent souffrir de la prédominance incontestée des chevaliers mais font tous les efforts pour s'en rapprocher. La vie est paisible sinon facile à l'aune de ce siècle qui a accoutumé Malte et les autres contrées de la région à maintes nuisances redoutables.

Qu'on soit riche ou pauvre, on est conscient de son bonheur notamment quand on le compare aux années antérieures, quand l'existence était aléatoire, qu'on mourait jeune ou que les Turcs vous emportaient comme galériens... Et la preuve est l'incroyable attraction que suscite La Valette et les divertissements tant diurnes que nocturnes qui s'y déroulent[1].

---

1. Un remarquable peintre, Charles Brocktorff, qui a vécu de 1775 à 1850, décrit en des tableaux anecdotiques et pleins de vie les coutumes et le folklore de La Valette en son temps. Les costumes des gens qu'il dépeint nous indiquent précisément comment la rue pouvait être colorée et animée. Mais de plus, ces peintures offrent une telle impression d'Orient par l'habillement des hommes du peuple portant des sarouals plus que des pantalons et les turbans plus que des chapeaux qu'on pourrait se croire à Alger...
Un merveilleux artiste contemporain, Kenneth Zammit Tabona, a pris le relais et d'une plume acerbe et ironique dessine en aquarelles mordantes le Malte des années passées tel qu'il l'a entendu décrire de la bouche de ses grands-parents qui le tenaient eux-mêmes de leurs propres ancêtres. Avec mélancolie plus que par méchanceté, il brosse le snobisme et les manières onctueuses des « dominants », sans s'acharner sur les plus pauvres.

À La Valette, comme dans toutes les villes de garnison du monde, les prostituées ont pignon sur rue. Mais elles ne vendent pas seulement leurs charmes dans les quartiers du port ou dans la ville basse malfamée. Beaucoup sont installées au coin des rues huppées, voisines des demeures chic où logent les bourgeois et les chevaliers. Elles ont pour clients attitrés les uns et les autres qui leur rendent visite sans descendre de trottoir et elles mènent leur activité avec toute l'innocence d'une boulangère exerçant son métier sans se soucier excessivement du qu'en-dira-t-on. Il ne semble pas qu'il y ait eu besoin de bordels, c'est-à-dire de maisons abritant les activités des professionnelles tant les « amateurs » étaient nombreuses. Selon les témoins, il suffisait de se promener dans La Valette en faisant tinter dans sa main des pièces de monnaie pour être sollicité de toutes parts...

*

Les rues de La Valette ont changé autant de fois de noms que le pays de régimes et de dirigeants. Sans nombrilisme ni forfanterie, on peut affirmer que la brève période française (1798-1800) a non seulement été propice à la logique et à la facilité, mais aussi à la poésie : les artères de la capitale ont été baptisées des plus jolis qualificatifs dont un seul hélas demeure peint à un coin. Parmi eux, au hasard : Des droits de l'homme ; De la félicité publique[1] ; Des libérateurs ; Du peuple ; De Brutus ; De l'égalité ; Des défenseurs de la patrie, etc. Ce sont d'ailleurs les Français qui ont commencé à nommer les rues qui, auparavant, restaient mystérieuses tant pour l'indigène que pour l'étranger.

Après avoir atteint le chiffre de 25 000 habitants en 1861 et rarement compté moins de 20 000 depuis 1772, La Valette est retombée au rang d'une petite bourgade avec environ

---

1. Actuellement Melita Street où est située, au 33, l'ambassade de France.

7 000 Beltins, le même nombre qu'en 1630... Sur le minuscule échiquier maltais de moins de 400 000 habitants, elle est précédée par dix ou onze villes et, malgré son statut de capitale à part entière et de cité phare pour les affaires économiques et surtout juridiques, elle compte fort peu politiquement.

La Valette est inscrite par l'Unesco sur la liste du patrimoine mondial, ce qu'elle mérite amplement.

CHAPITRE XVII

LA VIE JOYEUSE DES CHEVALIERS

Les chevaliers de Malte sont des moines. Ce sont des soldats. Ils sont jeunes pour la plupart, en tout cas au prélude de leur séjour à Malte car souvent ils débutent comme pages encore dans leur tendre adolescence. Jeunes et donc turbulents, parfois plus habitués dans leurs foyers à être servis qu'à s'offrir, souvent sans vraie vocation religieuse, ces cadets de familles nobles se montrent difficiles à maîtriser. D'autant que le puritanisme n'est pas chose facile entre la Sicile et l'Afrique, le climat favorisant davantage les langueurs que la retenue.

Cela leur vaut de subir en toute connaissance un régime bien codifié de sanctions et de punitions dont l'inventaire est long et détaillé, des bénignes aux gravissimes. Parmi elles, les séjours en cachot de durées variables tant dans la citadelle de Gozo, les oubliettes du fort Saint-Ange que les caves du palais des grands maîtres sont courants. Le juge Bonello a eu l'heureuse idée de dédier un chapitre complet d'un de ses livres à ce sujet et aux trop fréquentes évasions hors de ces lieux bien famés. Mais il y a tant d'exemptions et de remises de peine, de pardons conventuels qu'on a peine à croire que les délinquants potentiels sont freinés par la peur du gendarme...

Les archives de l'Ordre, de l'Inquisition et celles de Malte regorgent de ces fredaines ou de fautes sérieuses et des réactions des piliers et des grands maîtres pour assurer discipline, honorabilité, cohésion, respect des règles élémentaires et aussi aptitude au combat sur terre et sur mer. Un livre mystérieux et connu seulement de rares initiés sous le nom de *Liste noire* y rapporte les crimes et les châtiments conséquents. À l'évidence, les chevaliers français mènent assez largement le train (ils sont les plus nombreux...), suivis des Italiens, et l'inventaire des expulsions est impressionnant. Ces manquements aux vœux solennellement faits, à la décence ou simplement aux bonnes mœurs impliquent très souvent des personnes extérieures au couvent, c'est-à-dire des laïcs, maltais ou non, ce qui en accentue la gravité.

Une armée de volontaires comme l'est l'ordre de Malte attend de ses officiers et de ses soldats des qualités de base comme la bravoure, le dévouement et l'esprit de sacrifice. À de très rares exceptions, il n'a pas à se plaindre de cela. Mais les après-batailles, les entre-combats, les retours de caravanes en galères sont toujours plus délicats à gérer car, qu'il soit aristocrate ou soudard, un guerrier au repos, oisif ou privé de cadre contraignant, se laisse plus volontiers aller. Et le couvent, austère et manquant des ressources qu'ont les États plus vastes, peut devenir le champ clos de dérives multiples. De plus, les chevaliers sont de leur siècle, absorbant les mentalités et les pratiques de leur environnement naturel.

Mais la description de la vie dissolue de certains chevaliers n'est en aucun cas symptomatique de ce que fut Malte en ces temps. On aurait un immense tort de prendre le Malte des XVIIe et XVIIIe siècles pour le champ clos de toutes les turpitudes humaines ou un glauque et vaste lupanar. De même que seuls les trains qui n'arrivent pas à l'heure attirent l'attention, de même, on ne peut éviter d'aborder cette réalité...

La première particularité qui frappe un novice arrivant au couvent est l'auberge qui sera son lieu de vie pendant plusieurs années. Il y dispose d'une petite chambre et de nombreux compagnons, à l'instar d'un pensionnat. La ripaille étant offerte, on y mange et on y boit bien surtout quand on veut préserver ses maigres ressources pour d'autres plaisirs. C'est le pilier qui, aubergiste et directeur de cette caserne, les nourrit à ses frais. Les heures de service nombreuses, dans les hôpitaux et au lazaret, les exercices avec la milice composée de soldats maltais, les gardes aux remparts et patrouilles le long de la côte, et pour certains le service à la cour du grand maître, les réunions des conseils, et les emplois dans les différentes administrations, tout cela compose le menu quotidien du chevalier de base.

Et bien sûr il y a les caravanes, séjours en mer qui peuvent excéder quinze jours avec quelques escales il est vrai, pendant les trois années d'embarquement (trois caravanes consécutives d'environ un an chacune) que doit obligatoirement accomplir un novice avant d'être adoubé chevalier. Mais, faute d'adversaires, les expéditions guerrières se muent en croisières pacifiques au cours desquelles l'on visite les ports et où l'on encaisse les revenus des propriétés foncières de l'Ordre.

Cela semble fournir aux chevaliers un emploi du temps bien rempli. Or non seulement il existe de nombreuses dérogations pour certains privilégiés, mais de surcroît, il y a encore bien du temps libre à meubler, et c'est là que le bât blesse. Car, une fois éloignée l'atmosphère de veille attentive de l'après-Grand Siège, les caravanes se raréfient et l'ennui s'installe ; la passion du jeu d'abord frappe sans vergogne et elle entraîne dans son sillage la calamité de la dette. Comme ailleurs en Europe, cette fièvre frappe indistinctement la haute société et ce ne sont pas les édits des grands maîtres successifs qui changent d'un iota cette terrible tare.

Usuriers, commerçants, amis, bourgeois en mal de relations utiles, tous sont sollicités pour prêter de l'argent qui est immédiatement perdu... Et violences et scandales ne sont pas rares, car que peut-on faire contre des créditeurs qui menacent de révéler vos turpitudes et donc de briser votre carrière ?

La boisson dans les estaminets le plus souvent malfamés, les cartes, le billard, les défis qui tournent aux plaisanteries sacrilèges[1], la chasse aussi, plus acceptable, sont les distractions favorites de ces jeunes gens en mal de plaisirs. La débauche sexuelle tant avec les femmes que parfois entre hommes touche tous les rangs de l'Ordre, depuis le grand maître jusqu'au plus jeune novice. Un abbé français notait, amer, dans son cahier de voyage de 1773 que «les chevaliers ont corrompu les mœurs et que toutes les femmes sont à vendre».

La chasse aux jolies femmes peut commencer à l'église note l'Italien Guadalupi à l'entrée de laquelle sont postés ces braconniers arborant la croix blanche barrant leur justaucorps rouge. Il s'agit d'attirer l'attention en pinçant les chairs aux endroits les plus convoités, les hanches. Des enfants de chœur intéressés s'offrent pour porter des billets doux qui sont lus par leurs destinataires plus attentivement que leur missel. Des œillades langoureuses sont lancées qui complètent l'échange de messages visuels utilisant chapeaux, épées, éventails selon un code sémaphorique élaboré. Hors de l'église, les regards et les gestes à partir des *gallerijas* précèdent les rencontres au fond des cours et des jardins ou tout simplement dans l'alcôve...

La susceptibilité et l'irritabilité sont à leur comble et on se provoque parfois au sein d'une même langue, le plus souvent entre différentes nationalités. La fougue propre à la jeunesse et un sens exacerbé de l'honneur expliquent la fréquence des duels et la multitude de sanctions infligées. Quand le sang coule, pas moins de dix ans de forteresse (en théorie bien sûr...) ; la mort d'un protagoniste vaut la perte de l'habit et l'emprisonnement à vie, etc. mais il y a bien souvent des arrangements et l'histoire relate le sort de plusieurs duellistes «ayant eu trop de bonheur» (ce qui signifie ayant tué leur adversaire) qui terminent leur carrière dans la peau d'un commandeur.

---

1. Une des plus connues est due au chevalier français de Froulay qui subtilisa les clefs du Saint-Sépulcre pendant à la ceinture du grand maître Perellos. Il est exclu de l'Ordre. Pour cet exploit...

On se bat pour des babioles, un regard, un mot, une prétendue tricherie au billard ou aux cartes, une femme surtout.

Une rue semble attirer les duellistes : la Strada Vanella (aujourd'hui Strait street), la plus étroite et la plus longue de La Valette, réputée pour favoriser les rencontres « inopinées[1] » de deux adversaires et de leurs témoins...

Le bon exemple ne vient pas toujours d'en haut. Le chevalier de La Valette eut une jeunesse chargée : il moleste sérieusement un laïc en 1538. Bilan des courses : quatre mois en donjon et deux ans d'exil. La Cassière, grand maître entre 1572 et 1581, avait été pris la main dans le sac en 1536 en insultant et se battant avec un autre chevalier français. Le futur grand maître Verdalle (entre 1581 et 1595) connaît, jeune, la même aventure et est de plus accusé d'hérésie. Son successeur, un Espagnol, avait, alors fringant chevalier, cassé la mâchoire d'une femme mariée. Adrien de Wignacourt (souverain entre 1690 et 1697), ayant eu la maladresse de se faire prendre au lit avec la femme d'un marin revenu inopinément car la mer était trop mauvaise pour l'appareillage, s'empressa, une fois élu grand maître, d'édicter une loi interdisant aux bateaux d'entrer de nuit au port sans avoir fait tonner le canon au préalable...

Dès qu'ils sont choisis, certains grands maîtres continuent de céder aux charmes de ces femmes méditerranéennes, brunes, pétulantes, aux yeux pétillants et, paraît-il, sensibles aux hommages des puissants. Emmanuel de Rohan, le dernier grand maître français, est connu pour avoir entretenu une liaison durable avec l'épouse d'un médecin Creni dont il eut un fils.

Comment ne pas excuser les parties fines des jeunes chevaliers ? Et il y en eut de nombreuses. Et lors des départs des

---

1. Si elle est inopinée, une rencontre que suit un duel vaut moins de mois de forteresse qu'un acte prémédité...

caravanes, tout Malte est sur les bastions pour saluer la flotte, et surtout les maîtresses éplorées agitant des mouchoirs mouillés de leurs larmes... de crocodile.

Quelques grands maîtres ont bien tenté de lutter contre ces fléaux qui avaient pour conséquence de mettre sur le flanc trop de chevaliers délaissant la lutte contre les Barbaresques pour soigner les inutiles blessures infligées par l'épée d'irritables compagnons. De même, passer son temps à se gaver d'ail ou à inhaler des vapeurs de mercure, médicaments à la mode pour éradiquer une tenace syphilis, ne leur paraît pas une activité sérieuse...

Mais comme il est si notoire que les têtes de file elles-mêmes, baillis, piliers, chapelains voire grands maîtres et inquisiteurs se livrent aux mêmes errements, les injonctions et les sanctions n'avaient aucun effet.

La Cassière, souverain français ayant régné de 1572 à 1581, a même été arrêté, jeté en prison au fort Saint-Ange et déporté avant d'aller mourir en exil à Rome pour avoir voulu bouter les prostituées hors de La Valette... Cet excès de puritanisme lui avait valu l'hostilité unanime, y compris celle des femmes de petite vertu, qui le huèrent sur son chemin vers la geôle.

En dépit des relations conflictuelles qu'ils continuent à entretenir avec les chevaliers, les nobles dont nous avons parlé au début de cet ouvrage quittèrent bien vite l'austérité de Mdina pour se regrouper là où vibre la vie. Magnifique dans ses étroits remparts, la *Cita Vecchia*, comme on nommait l'ancienne capitale, se vide donc d'une bonne moitié de ceux qui y demeuraient initialement et devient la silencieuse et touchante citadelle qu'elle est aujourd'hui. Forts de leurs moyens financiers et ardents à ne pas rester au bord de la route de la prospérité et de l'animation, ces notables se font bâtir de somptueuses demeures qu'on peut admirer aujourd'hui telles les Casas Grande et Piccola, la Casa de Buonamici, l'hôtel de Verdelin, les palais de la Salle ou Pereira et maints autres édifices remarquables. Ils y mènent grand train, entre eux, au début tout au moins, car leurs semblables du continent, les chevaliers, n'étaient pas toujours conviés à ces agapes. (Malgré la frénésie iconoclaste des troupes napoléoniennes en 1798, il reste encore quelques beaux blasons sur les frontons de ces magnifiques demeures.)

Parallèlement, un autre phénomène prend place : les chevaliers quittent l'ombre tutélaire mais contraignante de leurs auberges et s'installent en ville. Ce manquement aux règles a dû être progressif afin de ne pas donner l'alerte et provoquer une réaction et une application stricte des convenances. Ils restent soumis aux travaux habituels et, au début, à l'obligation de prendre quatre repas par semaine avec leurs frères de langue. Mais ils abandonnent vite cette règle. Il fallait certes quelques moyens pour louer une maison, voire en acheter ou en faire bâtir une et y entretenir du personnel. Mais certains chevaliers, on l'a vu, arrivaient dotés d'une confortable fortune et pouvaient s'offrir ces facilités qui, avec le temps, devinrent monnaie courante.

La Valette vibrait donc d'activités diurnes, propres au commerce et à l'administration, mais aussi bouillonnait de toutes ses forces la nuit[1] : dîners, fêtes privées ou offertes par les éminences de l'Ordre, théâtre ou séances musicales, bals... et relations extra-conjugales comme on peut s'y attendre dans cette atmosphère méditerranéenne et surchauffée en tous les sens du terme. Quand un chevalier décide d'entrer en ménage, la facilité lui dicte de choisir, la plupart du temps, une femme de la classe inférieure et il n'hésite pas à apparaître en public avec elle, même si elle est mariée. Les annales rapportent que nombreux furent les maris récalcitrants qui furent exilés parce qu'ils avaient la malchance de s'être unis à de jolies femmes.

La cour assidue que les jeunes Européens du Nord font aux beautés locales et leur manque de discrétion, le peu de cas qu'ils

---

1. Alors que tristement, aujourd'hui, elle s'endort dès la fermeture des bureaux...

font de la réputation de ces dames provoquent parfois des phénomènes de rejet qui atteignent la plus haute hiérarchie. Mais le besoin d'avoir un protecteur au sein de l'administration pour faire avancer des dossiers ou obtenir des facilités oblige souvent les maris à fermer les yeux, voire à inciter leurs épouses à des rapports « utiles ». Les possibilités d'affronts publics étaient ainsi minimisées de même que les risques de duels parfois dangereux. Les archives des certaines familles de Malte regorgent de ces indices qui se recoupent ou complètent celles, ouvertes, de l'Ordre, mettant en exergue ces relations curieuses et intéressées entre les gouvernants et les gouvernés. En revanche, celles de l'authentique aristocratie locale qui dut cohabiter et s'entendre avec maints chevaliers sur un si petit territoire sont fort discrètes sur ce sujet chaud...

Les relations entre la noblesse maltaise et les chevaliers, eux-mêmes aristocrates, ne sont pas toujours des meilleures notamment parce que les premiers tenaient souvent les seconds pour des têtes brûlées incontrôlables et mal élevées. Quant aux membres de l'Ordre, ils font montre d'une condescendance dédaigneuse à l'égard de ces nobliaux qui osent les regarder de haut parce que souvent leurs titres ont quelques siècles de plus que les leurs. Une fois de plus, les gens du Nord se croient au-dessus des Méridionaux et ce sentiment est conforté par le rôle plus que minimal qu'à leur corps défendant ces aristocrates du cru jouent dans la conduite des affaires de leur pays. De plus, rappelons-le, les Maltais ne sont pas admis dans l'Ordre sauf comme chapelains... ce qui accentue leur humiliation et leur hargne oppositionnelle. Celle-ci ne se démentira pas lorsque le régime monarchico-religieux vivra ses dernières années.

Chacun utilisait néanmoins le droit d'en appeler à l'arbitrage du grand maître qui, si l'on en croit les archives, devait se trouver débordé par ces obligations de jugement. Plus permissifs que d'autres, Pinto ou Rohan se montraient trop souvent indulgents vis-à-vis des jeunes turbulents chevaliers.

Progressivement, les grands maîtres acceptèrent les nobles maltais à leur table, les invitèrent à leurs chasses, et leur confièrent des fonctions éminentes, ce qui atténua certains clivages, mais pas tous, loin s'en faut, surtout à la fin du XVIIIᵉ siècle. Puis, en 1802, au traité d'Amiens (comme nous le verrons plus loin) sera créée une langue maltaise qui contribuera à l'intégration des descendants de ces aristocrates écartés du temps de l'Ordre.

*

L'extravagance de la vie à La Valette se reflète bien sûr dans la vêture. Les dirigeants de l'ordre de Saint-Jean se virent à plusieurs reprises obligés de légiférer sur l'obligation pour les chevaliers de se « vêtir selon le code chrétien » afin d'éviter que les derniers sous des impécunieux ne passent en achats de vêtements à la dernière mode. Les jeunes chevaliers se montraient déjà si panier percé que le « père du régiment » qu'est le grand maître ne peut moralement les laisser s'enfoncer ainsi dans le luxe et la dépendance, voulant éradiquer toute ostentation excessive. La Sengle (grand maître entre 1553 et 1557) interdit de porter les vêtements de deuil plus de trois jours. La Valette lui-même ne signa pas moins de trois décrets visant à réguler le port d'habits. Le premier avait pour objet d'interdire les bas de couleurs diverses et la soie. Puis il s'attaqua aux capes et aux manteaux chamarrés, proscrivant l'achat de nouveaux costumes par les chevaliers. Enfin en 1567 il bannit toutes couleurs, le port de bijoux en or et argent, ordonnant aux membres de l'Ordre de revenir à la sobriété première. Verdalle n'est pas en reste qui, en 1592, bannit non seulement les jeux de cartes et de dés, mais aussi les robes « trop ostentatoires »...

Bien évidemment, il est difficile d'imaginer des lois imposant des modes ou en interdisant d'autres dans un monde libéral où la recherche de l'élégance fait partie intégrante de l'âme humaine. Et après quelques semaines d'observance, la situation *ante* se réinstalle.

Un code de sanctions accompagne ces édits tant pour les

contrevenants eux-mêmes que pour les tailleurs ; amendes calculées d'après la classe sociale du délinquant, confiscation de l'objet, coups de fouet, bastonnade... qui, bien sûr, se révèlent particulièrement inefficaces. Les maris, frères, oncles de femmes trop excentriques sont aussi frappés de punitions pour ne pas savoir tenir leur nichée...

Accortes et fraîches, les Maltaises ont toujours su plaire, usant de tous les subterfuges habituels des femmes pourtant moins communs dans cette région méditerranéenne où les hommes sont connus pour leur jalousie et leur machisme. Il est curieux de lire des relations de voyage s'étonnant des poitrines nues des Gozitanes qu'elles mettent en valeur avec des sortes de corsets. L'usage des voiles et des *faldettas* est, comme souvent, un jeu érotique : que cachent de profonds yeux noirs ou une silhouette affriolante qui déambule sensuellement ?

Les inventaires des biens des chevaliers dressés après leur décès qui nous sont parvenus sont révélateurs de leurs appétits pour une coûteuse élégance vestimentaire et de leurs tendances à ne pas respecter des lois et les édits de leurs chefs. Tout autant que les laïcs, ils éprouvent répulsion et réticence envers ce qui les réduit à être de simples numéros – alors que la séduction implique de se distinguer de la masse –, c'est-à-dire à ne porter que le prestigieux uniforme de chevalier [1] pourtant fort seyant.

---

1. L'uniforme est identique pour tous les chevaliers : justaucorps rouge barré de la croix blanche, plumes d'autruche piquées sur le cimier du casque, bottes, culotte, manteau, épée. Mais, dans le civil, chaque langue conserve les vêtures de son pays.

CHAPITRE XVIII

UN THÉÂTRE DANS LE COUVENT

Pour l'Ordre, Malte est un couvent. Mais, citoyens de l'État souverain de Malte, les Maltais d'origine ou les immigrés plus récents qui n'ont ni décidé de la forme du gouvernement qui les dirige ni adopté personnellement le cléricat ne se réjouissent guère de vivre dans une atmosphère monacale entre les murs des remparts. On l'a vu, ils exigent et obtiennent des lieux de distraction et un mode de vie moins austère que celui auquel théoriquement les moines soldats que sont les chevaliers doivent se conformer.

Mais il y eut très certainement plusieurs autres motifs qui incitèrent Antonio Manoel de Vilhena, qui régna de 1722 à 1736, à prendre la décision de bâtir un théâtre à La Valette.

Tout d'abord, il est évident qu'il a songé à son clan, et particulièrement à ses chevaliers. Certes, cette jeunesse motivée avait prononcé des vœux contraignants et, comme les moines sous ces cieux et sous d'autres, aurait pu se contenter de la contemplation, de la prière et du service d'autrui. Mais, comme on l'a vu, il n'était pas raisonnable de supposer que ces guerriers ne puissent que hanter les hôpitaux de l'Ordre et participer, des heures durant, dans la cathédrale Saint-Jean, aux offices interminables et aux conseils.

S'ennuyant et ayant moins de Barbaresques à se mettre sous la dent, les jeunes chevaliers devenaient intenables et dépensaient leur bouillante énergie en de multiples frasques, voire en graves délits. Il faut ouvrir une vanne de sécurité pour évacuer sainement cet excès de vitalité.

De surcroît, pour la plupart, leurs familles cultivées leur avaient donné le goût du théâtre et de la musique, fin du fin de la distraction et des plaisirs de l'esprit. Souvenons-nous qu'en ce début du XVIIIe siècle, c'est-à-dire à l'orée du règne de Louis XV en France, les auteurs de pièces foisonnent et le succès qu'ils rencontrent est à son apogée.

Ce seront les chevaliers qui trusteront toujours les premières places au théâtre...

Religieux ou non, un souverain qui se respecte et tient à son image ne peut négliger le rôle important de son action qui est de promouvoir les arts et de contribuer à la culture dans son royaume. Le rang du monarque parmi ses pairs tient à cela tout autant qu'à des facteurs de puissance, de richesse, de victoires militaires ou d'étendue territoriale.

Il est essentiel qu'un grand maître s'affiche comme le mécène éclairé et généreux qu'il est à bien des égards. Et, ce qui est accompli en matière de peinture, d'architecture civile ou militaire, de médecine doit désormais l'être également pour la musique, le théâtre, la poésie... Et le mécénat supplée le manque de talents internes.

Enfin, seigneur temporel, mais se sachant imposé aux Maltais qui ne l'ont pas choisi, Vilhena donne satisfaction à cette « société civile », et applique à la lettre le principe romain de *panem et circenses* afin d'acheter ce qu'on appelle aujourd'hui la paix sociale.

Vilhena peut enfin sans arrière-pensée appliquer le principe qu'un décent souverain doit veiller *ad honestatem populi oblectationem*[1].

De surcroît, grâce à une trêve obtenue en 1722 avec Ahmed III, le grand sultan de Constantinople, les craintes

---

1. « À la recréation honnête du peuple. »

d'une attaque turque s'estompent et il semble moins scandaleux de s'adonner aux plaisirs frelatés du théâtre quand on devrait préparer les prochaines campagnes militaires.

De toute façon, le virus du théâtre est déjà entré à Malte par la porte de derrière. Chaque auberge (et celle d'Italie est particulièrement réputée en ce domaine...) produit ses représentations auxquelles sont invités les membres des autres langues et leurs amis. Ces réjouissances d'ailleurs donnent lieu à des abus comme celle du 2 février 1697 à l'auberge des Transalpins qui suscita un tel scandale que le grand maître imposa aux malheureux chevaliers italiens de se priver de la compagnie et de la présence de femmes, bannies pour plusieurs mois de leur auberge.

Le grand maître français Verdalle (1581-1595) fut le premier à s'entourer de musiciens qui jouaient pour ses hôtes. Mais avant lui, Pierre d'Aubusson régala le Turc Bajazet d'un opéra ironiquement intitulé *Le Siège de Rhodes*. Les fameux compositeurs Gesualdo, Monteverdi, Corelli, et même Mozart ont joué pour les chevaliers dans les prieurés européens.

Plus tard, le Portugais Manoel Pinto de Fonseca (1741-1773) par exemple fut le plus connu qui, voulant apparaître comme un monarque doté d'une grandeur royale, mena une politique vigoureuse de promotion des arts.

Mais il ne fera que chausser les bottes de ce fameux prédécesseur, Vilhena, qui, en 1721, achète donc le site appartenant au prieuré de Navarre et, choisissant le modèle du théâtre de Palerme, fait construire en dix mois un édifice qui ressemble peu ou prou au bâtiment que nous pouvons admirer actuellement.

Volontairement banale et fade, la façade jure avec le somptueux et délicat agencement intérieur, comme s'il ne fallait pas trop en montrer afin de respecter la bigoterie ambiante et ne pas attirer les foudres de la censure ecclésiastique. D'abord en demi-cercle parfait avec deux bras se prolongeant vers la scène, l'hémicycle intérieur est remanié plus tard, adoptant une forme de fer à cheval plus oblongue. Tout en bois doré entourant d'adorables médaillons représentant des scènes champêtres dans un style mièvre et un esprit bucolique touchants, il est dominé par un splendide plafond à caissons. Quatre rangs de loges entourent la scène éclairée par des rangées de chandelles que de hardis et prestes employés allaient allumer en risquant de tomber dans la fosse, au grand plaisir des spectateurs toujours enchantés par ces acrobaties qu'ils considéraient comme partie intégrante du spectacle.

Malgré toutes les précautions prises pour justifier cette «folie», on préféra retarder l'inauguration officielle jusqu'en janvier 1732 avec la représentation de *Mérope* de Scipione Maffei. Dès l'origine, ce furent surtout des tragédies et des opéras français qui étaient joués par des chevaliers, y compris pour les rôles féminins. Deux troupes locales existent, une française et une italienne, mais bien vite, le succès vient de celles venues de l'extérieur. L'italien restant la langue de communication officielle, les pièces produites dans la péninsule surent très vite s'imposer.

Immédiatement, le théâtre Manoel prend une autre dimension : pour le meilleur et aussi le pire, il s'impose comme le centre de gravité de la vie sociale dans la capitale. Les chevaliers cessent vite d'être les uniques acteurs et les troupes étrangères importées sont composées parfois d'éléments à la réputation médiocre... Les jeunes actrices et chanteuses, les personnels de service ne sont pas avares de leurs charmes à l'égard de ces non moins jeunes chevaliers aux aguets pour tout ce qui porte jupons.

Pris de court, le pauvre inquisiteur ne cesse de hurler au blasphème et de faire parvenir à Rome des rapports horrifiés sur la vie de débauche menée par les clercs de l'Ordre...

Et s'il ne faut pas exagérer et généraliser, la chronique locale rapporte en effet nombre d'incidents, amusants pour certains et dramatiques pour d'autres. Tout comme sur le continent, les chanteuses revendiquent un protecteur qui parfois se révèle être un membre de l'Ordre, ce qui crée quelque émoi. Par exemple, deux chevaliers courtisant la même dame se jettent des œufs pourris durant un spectacle, et, comme ils sont probablement meilleurs à l'épée qu'au lancer de grenades, des dommages collatéraux sont à déplorer. Furieuses d'être peintes en jaune, ces victimes innocentes se ruent sur ceux qui avaient abîmé leurs parures. Et la rue Étroite compta à son actif plusieurs duels liés aux mêmes mobiles...

Des rixes ont lieu qui souvent ont pour motifs les charmes d'une chanteuse de sérénades ou une ballerine. Un charpentier du théâtre amoureux fou d'un jeune garçon lui fit un sort déplorable dans les coulisses pendant une représentation. Les cris attirèrent bien sûr le directeur et le coupable finit ses jours sur une galère de l'Ordre.

Les castrats eurent souvent à souffrir aussi de traitements curieux dus à l'impétuosité de jeunes innocents peu avertis que ces merveilleux organes pouvaient, parfois, appartenir au même sexe qu'eux-mêmes...

Les incidents surviennent de temps en temps pendant ou après les représentations, et parfois les problèmes se poursuivent hors du théâtre, chez des particuliers, lorsque, notamment, conviées à dîner après le spectacle, des actrices se montrent trop généreuses de leurs charmes et de leur plastique...

Loué à un imprésario (dont un fut une femme entre 1768 et 1770) chargé d'adapter des spectacles des pays voisins, le site est supposé rapporter quelques *scudi* qui sont versés à la cassette de l'Ordre, c'est-à-dire au Trésor public. Parfois ces personnages peu recommandables entraînent dans leur faillite des bourgeois et des chevaliers qui s'étaient imprudemment associés.

Plus tard, en 1866, cédant à la pression publique, les Britanniques construiront à l'entrée de la ville un opéra qui provoquera l'engouement légitime pour les nouveautés. Tombé en désuétude, le théâtre Manoel s'était détérioré avant de se voir transformé en dortoir pour mendiants. Suprême insulte qui aurait pu signer son chant du cygne, il sert aussi de salle de cinéma pendant plusieurs années après la deuxième guerre.

Mais tel phénix, il renaît un jour de ces mauvais traitements et, grâce à l'État qui le réhabilite, figure encore aujourd'hui parmi les plus anciens et harmonieux petits théâtres européens.

*

Les lecteurs français se souviendront principalement d'un des imprésarios responsables de ce monument : Nicolo Isouard, qui a donné son nom à une rue de leur capitale[1], ainsi qu'un buste ornant la façade de l'opéra Garnier à Paris.

Né à La Valette en 1775, Nicolo Isouard se découvrit très vite des talents de pianiste et d'organiste et, en 1791, devint l'assistant attitré de celui de la cathédrale Saint-Jean. Quatre ans plus tard, le grand maître Emmanuel de Rohan le reçoit comme membre de l'Ordre en tant que donat.

Isouard manifeste tout au long de sa vie une exceptionnelle créativité, multipliant les opéras, les cantates, les duettos tout comme les compositions de musique sacrée. Sa rivalité avec le compositeur français François-Adrien Boieldieu marqua à jamais son existence, et c'est probablement la raison pour laquelle il s'engagea résolument du côté de Bonaparte et de ses idéaux révolutionnaires lorsque le futur Napoléon débarque sur l'île en juin1798. Il est en conséquence nommé directeur du théâtre Manoel dès septembre de cette même année et chargé d'offrir des distractions aux soldats que Bonaparte laisse derrière lui lorsqu'il part pour l'Égypte. Il n'y parvint que partiellement car le siège de La Valette par les Maltais insurgés laissait peu de place et de moyens à la bagatelle. Cet alignement avec l'occupant lui valut d'importants déboires car, qualifié de traître, il n'eut d'autre solution pour échapper à une probable pendaison que de s'exiler en compagnie des troupes françaises de l'infortuné général Vaubois.

Devenu français en 1800, il ne revint jamais dans son archipel natal, mais sut merveilleusement bien s'intégrer à la société des artistes parisiens et briller à de nombreuses représentations à l'Opéra et à l'Opéra-Comique : *Michel-Ange* le lança avant *Un jour à Paris* puis *Cimarosa, Richard Cœur de Lion, Cendrillon,*

---

1. La rue Nicolo dans le 16e arrondissement de Paris.

etc. En raison de sa querelle avec Boieldieu, il ne parvint pas à être élu à l'Institut et mourut en 1818, alors que, bonapartiste convaincu, il est obligé de changer de style avec l'avènement d'un Louis XVIII résolu à éradiquer toutes traces de son illustre prédécesseur.

Célébré par les Maltais charitablement oublieux de ses prises de position résolument pro-françaises, et de son exil qui se prolongera, il reste pour eux le musicien de référence et la gloire locale tout comme Favray l'est pour la peinture. Mais il bénéficie par rapport au peintre de cet avantage incomparable d'être natif de La Valette. Touchant le cœur sensible et fier des Maltais, sa fidélité indéfectible à son archipel natal plaît, d'autant qu'il persiste à signer ses lettres et partitions de la griffe Nicolo de Malthe.

CHAPITRE XIX

L'ORDRE DE SAINT-JEAN
ET LES « PARALLÈLES »

À observer l'appétit des humains pour les titres, les décorations et les postes honorifiques, on ne peut douter que les ordres de chevalerie ont, eux aussi, fait saliver beaucoup d'entre eux. Et lequel est plus prestigieux, reconnu et envié que l'ordre de Malte de nos jours ? Quel notable ne rêve pas secrètement de pouvoir enjoliver sa carte de visite de la mention fabuleuse « chevalier de l'ordre de Malte » ?

On ne peut donc s'étonner de voir proliférer les ordres dissidents ou parallèles s'affublant de la qualification d'ordre de Malte... D'autant que, comme pour son emblème – sa croix –, le nom d'« ordre de Malte » ne bénéficie d'aucune protection légale.

« Le grand prieur et le grand conseil du grand prieuré russe, Malte et Europe des chevaliers hospitaliers de l'ordre souverain de Saint-Jean de Jérusalem apprécierait votre présence à la cérémonie d'investiture qui aura lieu à son siège mondial à La Valette »...

Tel est l'intitulé d'un carton d'invitation en bristol épais dont la réception a suscité mon étonnement un jour de 1999. Le lendemain, les journaux locaux ont publié un entrefilet affirmant : « L'ordre militaire et hospitalier de Saint-Jean, de Jérusalem, de Rhodes et de Malte aussi connu sous le nom d'ordre souverain de Malte, affirme qu'il n'est en aucune manière lié à une quelconque organisation qui peut porter un nom similaire ou approchant. Il confirme qu'il est le seul à avoir le statut d'observateur à l'ONU, l'Unesco et l'OMS. »

Ce genre d'incident qui a lieu fréquemment est l'illustration de l'existence d'ordres « dissidents » et de la confusion que cela peut créer dans certains esprits.

Pour comprendre les tenants et aboutissants de ces sombres histoires, il faut, bien sûr, revenir à l'Histoire, source de bien des légitimités mais aussi de nombreux maux.

La réforme allemande du début du XVIᵉ siècle, quand le Brandebourg se convertit au protestantisme, fut une grave alerte quoique le bailli de cette province, devenu lui aussi fidèle à Luther, fût exceptionnellement autorisé à demeurer membre de l'Ordre.

Mais la rupture anglaise, en 1534, lorsque les chevaliers anglais prêtent allégeance au roi Henri VIII, a davantage ébranlé l'Ordre. À ces rudes chocs s'ajoute l'anachronisme d'être croisé alors que l'idéal de la croisade s'estompe et qu'aucun ordre international de chevalerie ne survit. La Révolution française, répétons-le, lui porte le coup de grâce, que Bonaparte, en 1798, concrétise en forçant le passage du Grand Port de Malte et en chassant l'Ordre. Il applique à la lettre les règles héritées de la Révolution française destituant les ordres religieux : ils n'ont droit ni à exister ni à posséder des biens sur le territoire de la République.

Le grand maître du moment, Hompesch, un Allemand, vient à peine d'être élu dans une atmosphère de concussion telle qu'elle sent par elle-même la fin de règne. Il est autorisé par le général en chef français à quitter l'archipel avec sa suite et quelques biens personnels. Il se replie donc sur Trieste, entouré d'une poignée de chevaliers restés fidèles et emporte quelques trésors, surtout symboliques, et de grande valeur religieuse pour l'Ordre : un fragment de la Sainte-Croix, la main droite de saint Jean enchâssée et l'icône de Notre-Dame-de-Philerme. Attardons-nous quelques instants sur cette dernière. Cette tendre image de la Vierge rapportée de Jérusalem vers l'an 1000, vénérée et dotée de pouvoirs miraculeux, était nichée dans une chapelle au sommet du mont Philerme (qui signifie « Amoureux de la solitude ») à Rhodes. Elle reçut toutes les attentions de la part des chevaliers dès leur arrivée en 1310, et, à l'évidence, lorsque l'île tombe aux mains des Turcs, ceux-ci l'emportent vers Malte où elle trouve une place de choix dans l'église conventuelle de Birgu. Lorsqu'est construite la nouvelle cathédrale Saint-Jean, une chapelle à droite du chœur lui est réservée, protégée par une magnifique grille en argent, ciselée par le joaillier maltais Assenza en 1751. Cette œuvre d'art est devenue célèbre par une légende à laquelle tous les Maltais sont attachés : un sacristain avisé l'aurait peinte en noir pour tromper les soldats napoléoniens faisant main basse sur tous les métaux précieux de l'église[1].

Imprudemment, et sans abdiquer, Hompesch confie les trois reliques à un groupe de chevaliers qui se rend à Saint-Pétersbourg et offre au tsar Paul Ier la dignité de devenir le 72e grand maître.

Ce choix insolite d'un chef de l'Ordre marié et qui de surcroît n'est pas catholique n'est pas du goût du pape Pie VI qui ne le reconnaît pas, d'autant qu'exilé à Florence par le Directoire, il n'a pas été consulté.

Celles des langues que n'avait pas atteintes le vent de la Révolution refusent, bien sûr, l'autorité du tsar, et, divisé en deux fractions hostiles, l'Ordre est en voie de désagrégation.

Certes Alexandre Ier, successeur de son père Paul Ier assassiné en mars 1801, ne montre aucun intérêt pour ce sac d'embrouilles. Un nouveau grand maître plus convenable fut élu, mais sans territoire en propre, l'Ordre n'était plus souverain, encore qu'il tentât de continuer à faire croire à la permanence de son statut. Alors que, face au danger de complète déliques-

---

1. Cette version amusante ne tient pas la route historiquement car l'éminent chevalier Bosredon de Ransijat, qui avait rejoint Napoléon, connaissait l'existence de ces grilles qui ne purent être protégées de cette naïve façon.

cence, les langues mettent un terme à leurs querelles et jalousies nationales et internes, l'essor des associations de l'Ordre dans des pays comme la France, l'Espagne, et l'émergence dynamique de l'association d'Angleterre incitent en 1879 à un regroupement puis à une nouvelle élection d'un grand maître.

C'est l'organisation qui prévaut encore aujourd'hui pour l'ordre de Saint-Jean de Malte[1], dont l'état de santé est éclatant. La branche catholique, la seule légitime, revendique plus de 10 000 membres répartis en six grands prieurés et trois sous-prieurés alors que le système de partage par langues qui avait fait les beaux jours de l'Ordre pendant des siècles n'a plus lieu d'être. De plus, 41 associations nationales regroupent les chevaliers dont une centaine seulement sont profès, c'est-à-dire religieux.

Fin 2005, 93 pays reconnaissent l'ordre de Malte comme souverain et échangent des ambassadeurs, pour la plupart non résidents, il est vrai. La république de Malte a notamment un ambassadeur à Rome alors que l'Ordre entretient une ambassade à La Valette sise dans le magnifique fort cavalier Saint-Jean. La France ne légitime pas l'ordre de Malte comme une nation mais comme une organisation importante et honorable à laquelle elle réserve des égards officiels exceptionnels.

Le grand maître actuel, Fra Andrew Bertie, est un Anglais descendant des Stuarts admis comme chevalier de justice en 1981. Depuis avril 1988, il est donc à la tête d'un État sans territoire et sans citoyens mais qui émet quand même ses timbres et voit ses passeports honorés par une soixantaine de pays.

La grande affaire des autorités de l'Ordre fut jusque récemment de récupérer un territoire sur lequel planter, en toute souveraineté, sa prestigieuse bannière et, partant, de redevenir universellement souverain. Faute de quoi, il est une organisation non gouvernementale parmi les autres, nettement plus

---

1. Qui a conservé le long titre officiel qu'il porte depuis l'arrivée à Malte.

ancienne, avec un passé considérablement plus glorieux, mais au fond guère mieux traitée. Secrètement, des tractations ont lieu qui durent plus de dix ans, sous-tendues par la discrète ambition de parvenir à se faire octroyer un rocher, quelques mètres carrés qui suffiraient pour regagner ce statut perdu en 1798 par le fait des armées de Bonaparte.

En 1998, hélas, deux cents ans après son expulsion de Malte, l'Ordre doit admettre la réalité : il ne deviendra jamais propriétaire à part entière du fort Saint-Ange, celui qu'il avait défendu avec tant de pugnacité et de courage en 1565 et qui avait bercé tous ses espoirs. En effet, les travaillistes au pouvoir à La Valette avaient laissé entendre qu'ils pourraient accéder au désir de l'Ordre en échange de quelques compensations et de l'engagement d'investir environ 70 millions de dollars dans le fort saccagé par les hordes populaires de Cottonera au départ des troupes britanniques qui l'occupaient en 1971 et d'y relocaliser ses activités caritatives.

Le gouvernement ayant changé, le fort lui sera simplement loué avec un bail emphytéotique de 99 ans sans aucun espoir de souveraineté. Après des débats houleux, le traité est ratifié par le parlement maltais en février 2001.

Voici donc l'ordre de Saint-Jean de retour dans ce lieu hautement historique. Il l'utilisera pour ses activités internationales, humanitaires et culturelles. Le fort sera protégé par l'immunité diplomatique et les membres de l'Ordre y résidant bénéficieront des mêmes privilèges. Cependant, et contrairement aux églises, personne ne pourra y rechercher asile contre le gouvernement maltais, et le public aura accès au fort selon des limites définies entre les deux gouvernements.

Aujourd'hui, un *fra*[1] y demeure qui conduit des activités diverses, mais ne représente néanmoins pas l'Ordre qui dispose d'un ambassadeur en titre (non résident). Et devant

---

1. Abréviation de *frater*, « frère » en latin, titre désignant un profès, un parmi la centaine de religieux que compte encore l'Ordre.

les touristes du monde entier qui peuvent les admirer des jardins de Upper Baracca à La Valette de l'autre côté de la baie, flottent au sommet de ce fort majestueux, conjointement, sur des mâts parallèles, les deux pavillons nationaux, le maltais et celui éternel de l'ordre de Malte.

*

Mais revenons à l'icône de Philerme. Pendant que cette évolution se faisait progressivement, les orthodoxes russes s'emploient à valoriser l'héritage de Paul Ier et nomment des grands maîtres orthodoxes tout en maintenant le siège de cet Ordre au palais de Malte à Saint-Pétersbourg. Il y demeurera jusqu'à la révolution bolchevique, et en 1922, le grand prieuré russe s'établit à Paris et élit grands maîtres les rois de Yougoslavie, Pierre II d'abord puis André. Cet Ordre est organisé comme celui dont il usurpe le nom et les statuts : il porte le même uniforme, se réclame des mêmes antécédents et traditions et poursuit les mêmes activités charitables.

Tout comme lui, il est formé principalement de laïcs auxquels il octroie des titres princiers et nobiliaires et accepte aussi les femmes, les dames commandeurs. À leur tête, avec le titre de Grand Protecteur de l'ordre souverain de Saint-Jean de Jérusalem, est Pierre II roi de Yougoslavie.

Et c'est là que l'infortunée relique de Philerme, qui a connu bien des tribulations, entre en scène. La révolution bolchevique la mettant en péril, elle est secrètement transportée en Estonie, puis au Danemark dans les fourgons de la mère du tsar. En 1928, elle trouve refuge à Berlin puis, sous la garde du roi Alexandre de Yougoslavie, à Belgrade où elle demeure très discrète jusqu'en 1941. Elle disparaît à l'arrivée des Allemands pour resurgir en 1992 à la formation de la fédération yougoslave dans un monastère monténégrin. Elle atterrit finalement avec ses deux compagnons d'infortune, le fragment de la Sainte-Croix et la relique de saint Jean le Baptiste, dans un petit musée monténégrin de Cetinje d'où elle a peu de chances de sortir et de rejoindre soit les trésors de l'Ordre dans la villa Malta via dei Condotti sur l'Aventin, soit dans la cathédrale Saint-Jean à La Valette.

Mais cette redécouverte « miraculeuse » relance en 2002 l'agitation autour de l'organisation russe dissidente.

C'est l'ambassadeur de Russie à Malte qui orchestre à grands coups de tam-tam la remise solennelle d'une copie de cette icône aux autorités civiles et religieuses et, du même coup, ravive un intérêt déclinant pour le grand prieuré russe dissident. Il semble néanmoins que cette tentative sympathique mais visant davantage à replacer la Russie sur l'échiquier de Méditerranée centrale ait fait long feu. Pour l'instant tout au moins...

*

En tout état de cause, l'ordre de Malte ne se perd pas en des querelles absconses contre les Ordres parallèles. Bien au contraire, appliquant le principe selon lequel l'union fait la force, il a admis et œuvre pour que l'essentiel des idéaux de l'Hôpital survive et prospère dans nombre des sociétés non catholiques.

Il entretient de bonnes relations avec un autre ordre, orthodoxe celui-ci, se donnant le nom d'*ordre souverain de Saint-Jean de Jérusalem* qui reconnaît, lui, le roi Michel Ier de Roumanie représentant l'ordre des tsars comme prince grand maître. L'Ordre (le véritable) lui a conféré en 1998 sa grande croix de la main de son Grand Chancelier mais ne paraît porter qu'un regard assez condescendant voire peu amène sur un grand prieuré qu'il a ouvert à Malte et qui a pignon sur rue.

À côté de ces étranges survivances schismatiques se situent les ordres protestants qui, avec les années, ont conservé ou renoué avec l'Ordre des relations fécondes dans un esprit de tolérance et de compréhension mutuelle due à la recherche de l'unité œcuménique. En Angleterre, Écosse, Pays de Galles, Allemagne, Suède, Pays-Bas, les Ordres protestants ont soit été créés, soit ont fait revivre les anciennes structures d'avant la rupture canonique.

179

L'ordre de Saint-Jean du Grand Bailliage de Brandebourg de l'ordre de l'hôpital de Saint-Jean de Jérusalem s'affirme comme la province protestante autonome de l'ordre souverain de Malte. Cette institution est présidée par le prince Guillaume de Prusse. Elle arbore la même croix que les deux autres Ordres, se pare d'uniformes similaires, et revendique une relation de travail harmonieuse avec notre Ordre. Il en est de même avec le Grand Prieuré anglais qui, sous le vocable de *Très vénérable ordre de l'hôpital de Saint-Jean de Jérusalem*, ressuscite en 1831 et reprend réellement vie en 1888 sous l'impulsion de la reine Victoria. Les prieurés et commanderies sont rétablis ainsi que d'autres dans le Commonwealth. Et c'est la reine qui, tête souveraine de l'Ordre, promeut et nomme les membres dont la liste est publiée dans la *London Gazette*. Un accord a été signé à Rome avec l'Ordre.

Des relations fraternelles sont aussi consolidées avec les ordres suédois, suisse et hollandais, le Johanniter Orden dont le commandeur est le souverain batave. Cette marche vers l'unité de l'Ordre sera certainement aussi longue que celle de la chrétienté, mais les soubassements de reconnaissance et de largeur d'esprit sont là qui en tout cas présagent bien de la coopération en faveur des démunis.

La croix de Malte

L'emblème de l'ordre de Saint-Jean de Jérusalem est répertorié désormais dans le code héraldique comme croix de Malte. Quoi qu'aient pu affirmer certains, la croix de Malte est largement antérieure à 1500 car elle fut adoptée par l'ordre de Saint-Jean vers 1118, c'est-à-dire peu de temps après l'octroi par le pape des lettres de reconnaissance. L'historien italien, Giacomo Bosio, le plus grand érudit reconnu de l'Ordre, a eu accès à tous les documents disponibles et affirme que c'est le premier grand maître, le Français Raymond du Puy, qui a ordonné que «les frères portent une robe noire sur laquelle une croix de tissu blanc de forme octogonale et à huit pointes est cousue ». Mais il semblerait que ce symbole des hospitaliers, signe ostentatoire s'il en est d'une vocation d'assistance qui doit être reconnue et traitée comme telle, dérive d'une des caractéristiques de la déesse phénicienne Tanit. Coïncidence prémonitoire alors que les Phéniciens ont découvert et utilisé l'île de Malte sans penser bien sûr que le losange aux pointes sommées de triangles équilatéraux allait, des millénaires plus tard, porter le nom de cet archipel lointain...

Une enluminure datant de 1304 dans le *Liber Indulgentiae* exhibe des croix de Malte sur le dos et la poitrine de personnages représentés. Des pièces de monnaie du grand maître, français lui aussi, Hélion de Villeneuve (1319-1346), montrent clairement la croix. Et dans le krak des Chevaliers qui fut un de leurs châteaux entre 1144 et 1271, on trouve manifeste et évidente la croix formée, celle de Malte donc.

Pourquoi serait-il nécessaire de rendre à ses propriétaires la croix de Malte qui semble n'être pas contestée ?

En fait elle l'est car, à l'évidence, les chevaliers ne se sont jamais préoccupés d'enregistrer par brevet leur marque déposée et ce magnifique symbole est désormais dévoyé, ne serait-ce que par l'État de Malte lui-même qui l'utilise non pas sur son drapeau national, mais dans son pavillon maritime et pour la décoration la plus prestigieuse qu'il octroie, l'ordre national du Mérite.

Comme je l'interrogeais sur cette dévolution quelque peu désinvolte à mes yeux, l'ancien Premier ministre maltais m'a répondu avec hauteur que la croix de Malte appartient à Malte comme son nom l'indique d'ailleurs...

Comme on peut le voir tous les jours, ce symbole sans équivoque d'un ordre religieux prestigieux, historique et qui a marqué la vie de la chrétienté est galvaudé, utilisé à des fins commerciales et figure sur des articles profanes et souvent sans rapport aucun avec son origine.

Mais il y a davantage : selon certains, il est avéré sur les peintures et gravures de l'époque qu'à son origine, Gérard de Martigues, considéré comme le fondateur de l'ordre de Saint-

Jean, utilisait la croix latine ordinaire alors que le sceau originel de l'institution semblait, lui, être une croix patriarcale. Un historien anglais affirme même que la croix de Malte telle qu'on la connaît n'a été introduite dans l'Ordre que lors de son arrivée à Malte. Il est certain que ce n'est qu'après la prise de possession de l'archipel maltais que l'Ordre adopta son pavillon rouge à croix blanche.

Que veut signifier la croix de Malte ? Tout d'abord c'est la croix du Christ, qui, pour les chrétiens, représente le bois sur lequel le Fils de Dieu a été crucifié par les Juifs à Jérusalem. En second lieu, les quatre branches marquent les vertus cardinales : la prudence, la tempérance, la force d'âme et la justice qui soustendent la vocation de chaque chevalier. Les huit pointes des croix formées, pattées ou pattées formées seraient, selon certains scoliastes, un clair et permanent rappel des béatitudes du Sermon sur la montagne. Ce sont, est-il nécessaire de le rappeler, le contentement spirituel, la vie sans malice aucune, et l'humilité de cœur. Suivent la capacité de pleurer ses fautes, l'amour de la justice, l'aptitude à la miséricorde, et la sincérité des sentiments. Enfin, la vocation d'endurer les afflictions et les persécutions pour la justice.

D'autres exégètes plus imaginatifs mais très probablement dans le faux, certifient que ces fameuses dents sont la représentation des huit langues qui constituent la colonne vertébrale de l'Ordre.

L'épée de La Valette

L'heureuse issue du siège de 1565 eut, parmi nombre d'autres, une conséquence imprévue. Reconnaissant du rôle éminent pour arrêter le déferlement redouté des musulmans vers l'ouest de la Méditerranée, le roi d'Espagne Philippe II avait offert symboliquement au grand maître vainqueur un poignard incrusté d'or et de diamants et une épée. Bon prince et conscient du rôle de la Providence dans l'issue de ce combat, ce grand maître consacra ces deux armes à Notre-Dame-de-Philerme, vraie responsable, selon lui, du succès de la chrétienté. Et il était courant de voir le grand maître tenir en ses mains ces objets sacrés qu'il présentait au public avec l'icône à l'issue de certaines messes.

Ciselée par un maître artisan allemand franconien célèbre, ce joyau plus de parade que de combat porte l'inscription latine ingénieuse *Plus quam valor valet Valette*. Élancé, doté d'une poignée d'or et d'émail et d'une dragonne de fils de métal précieux, cet ouvrage d'art fut par la suite transmis de grand maître à grand maître jusqu'au dernier, Ferdinand Hompesch qui, le malheureux, fut élu grand maître en 1797 au moment où l'influence pernicieuse de la Révolution française rongeait déjà profondément un Ordre en décadence.

Lors de son débarquement dans le Grand Port en juin 1798, Bonaparte ordonne la confiscation de nombre de possessions de l'ordre de Saint-Jean, particulièrement le trésor constitué de vaisselle et d'objets décoratifs d'or et d'argent, d'ornements d'église, de somptueuses armes d'apparat dont bien évidemment l'épée. Le gros du butin est embarqué à bord du navire amiral *L'Orient* qui quitte Malte avec à son bord un Bonaparte ne rêvant plus que d'Égypte. Et c'est à Aboukir, quelques mois plus tard, que Nelson infligera sa première cinglante défaite navale à une marine française qui en connut hélas d'autres.

L'Orient est perdu corps et biens et ce n'est que depuis quelques années que son épave est repérée et que les Maltais se bercent de l'illusion de recouvrer quelques-uns de leurs trésors évanouis, sans se rendre compte d'ailleurs que, tout comme la croix de Malte, ces pièces d'art appartiennent probablement davantage à l'Ordre qu'à eux[1].

Toujours est-il que l'épée devait figurer dans la cantine

---

1. Nul ne peut affirmer ce qu'il est advenu de ce trésor maltais emporté en Égypte. Certains affirment que ce butin a été soit pillé par les soldats français soit distribué et que plus rien ne se trouvait à bord de *L'Orient* au moment de la bataille d'Aboukir.

personnelle de Bonaparte car, non seulement elle ne connut pas les fonds sableux de la côte égyptienne, mais de surcroît, elle revint en France avec son célèbre nouveau propriétaire.

Tout le monde connaît les tribulations de l'Empire et sa fin infamante. Ce qui peut être ignoré est que les alliés qui pillèrent minutieusement les palais nationaux français tant en 1814 après la bataille de France qu'en 1815 à l'issue de Waterloo, « oublièrent » l'épée et le poignard qui se retrouvent aujourd'hui au Louvre présentés verticalement devant une fenêtre donnant sur la Seine.

Et cette arme est devenue un sujet de contentieux entre la France et l'État de Malte. Celui-ci, jusqu'à présent, reste étrangement silencieux sur les trois reliques entreposées au musée monténégrin de Cetinje, tout comme il évoque rarement et du bout des lèvres le butin enlevé par les Anglais durant leur longue occupation et stocké au British Museum. Mais il se montre particulièrement et officiellement insistant pour réclamer la restitution de cette épée.

Chaque ambassadeur de France reçoit, durant son séjour, plusieurs reproches quant à l'entêtement de Paris à conserver cet objet volé qui, aux yeux des Maltais, est précisément la brebis perdue, donc l'unique objet des rêves. La population maltaise n'est pas en reste, elle à qui on a[1] seriné les turpitudes françaises à propos du pillage des églises et de l'épée dérobée. Certains îliens, sans plaisanter, conditionnent parfois leur adhésion à un projet à la restitution de *leur* épée...

Le gouvernement français reste coi, ne désirant pas, en rendant l'épée, entrer dans une logique générale de restitution de tous les trésors étrangers exposés dans ses musées.

---

1. Les livres d'histoire qui servent de manuels aux écoliers sont explicites sur ce sujet. Et on peut penser que les Anglais qui ont dominé l'île pendant 164 années ne se sont pas privés d'insister sur ce fait apte à susciter le ressentiment des Maltais à l'égard de la France...

Vue aérienne des lignes Cottonera. © *Daniel Cilia*

Haqar Qim, statuette de femme, époque néolithique. © DR

Haqar Qim, temple néolithique. © Erich Lessing/Akg-images

L'arsenal de Birgu, gravure XIXe siècle. © *DR*

Felouque maltaise, XVIe siècle. © DR

Les catacombes de l'église Saint-Paul, Rabat. © *Daniel Cilia*

La cathédrale
Saint-Jean,
La Valette.
© *Rex Interstock/Sunset*

La Valette, le théâtre Manuel construit en 1731 par Manuel de Vilhena. © *Rainer Hackenberg/Akg-images*

La Valette, palais
des Grands Maîtres.
© *DR*

La Valette,
femme avec
une *ghonella*.
© Rex Interstock/Sunset

Mdina,
la porte des Grecs.
© Otto Werner/Sunset

La Valette, l'auberge de Castille. © *Daniel Cilia*

La Valette, sculpture du
baptême du Christ
sur un balcon maltais.
© *Daniel Cilia*

Marsascala, le port. © *DR*

Les canons de Malte

Il est vrai que ceux de Navarone sont plus célèbres, mais Malte est plus que cette île crétoise le paradis des canons... ou l'était avant que les Anglais, séduits par la beauté de ces pièces d'art, n'en enlèvent plus de trois cents et ne les rendent pas... La défense des kilomètres de rempart autour de La Valette, les Trois Cités, les forts Ricasoli, Rinella et tous les bastions gardant les 150 kilomètres de côtes impliquaient en effet l'existence – selon le recensement de 1785 par le Français Félix de Laine, commandant de l'artillerie – de 362 canons et 105 mortiers de bronze en plus des 500 autres obusiers banals en fer.

L'Ordre mettait un soin jaloux à commander les meilleures pièces d'armuriers renommés, principalement italiens et espagnols. Ils étaient soit offerts par les souverains reconnaissants ou désireux de promouvoir leurs industries, soit achetés par des chevaliers baillis commandeurs ou grands maîtres eux-mêmes. En 1531 par exemple, Henri VIII d'Angleterre fit parvenir au grand maître L'Isle-Adam un vaisseau chargé de pièces d'artillerie. Louis XVI offrit au grand maître Ximenes un canon magistralement ciselé à Venise sur lequel est inscrit *Pompa et usu*. En raison de son élégance, cette arme était en effet davantage utilisée pour le cérémonial que pour bombarder l'ennemi.

Ce magnifique obusier fut remarqué en 1798 par Bonaparte qui, fort de son bon droit de vainqueur, l'embarque sur la frégate *La Sensible* en direction de Toulon. Mais le sort et les Anglais veillaient qui capturent le bateau... et le canon et le conservent encore. Probablement mis en bouche par cette prise, ils font, durant leur long séjour, main basse sur 310 canons de bronze supplémentaires, tous magnifiquement gravés aux armes des grands maîtres et d'autres commandeurs renommés.

Il est vrai que, généreusement, ils ont rendu à Malte treize de ces reliques qui sont exposées devant les deux cathédrales, l'auberge de Castille, Gozo et d'autres lieux encore.

Curieusement, les Maltais parlent rarement de ce pillage, et ne revendiquent jamais les canons restant entre les mains de leur ancien colonisateur...

CHAPITRE XX

RELIGION OU RELIGIOSITÉ ?

Si la France est encore la fille aînée de l'Église, que dire des Maltais dont on affirme que le catholicisme est la première nationalité et la fidélité au pape la principale loyauté ?

Il est commun d'affirmer que jamais, en dépit des tribulations et des occupations infidèles (au rang desquelles on peut placer l'anglicanisme des occupants britanniques), les Maltais n'ont renoncé à leur foi catholique et à cette allégeance. Et c'est elle qui a constitué et se veut encore le ciment d'une nation, homogène certes, mais occupée durant les neuf dixièmes de son existence.

Le culte des saints est devenu une donnée de base surtout au sein de la population rurale et après le dernier quart du XVIe siècle lorsque l'Église remit en vigueur l'usage de leur invocation. Des vénérables propres à l'archipel comme saint Barbara ou saint Publius provoquent des émeutes à chacune de leurs fêtes. Puis petit à petit, chaque saint patron des paroisses est vénéré localement au point de devenir une idole et susciter des rivalités sérieuses entre villages voisins lors de chaque *festa*.

Le clergé incite à des dons répétés car s'ils restent minimes en valeur, leur fréquence permet *in fine* d'acquérir des trésors qui sont offerts à l'adoration du public en quelques occasions. Dans la même veine, l'agrandissement du lieu de culte, son embellissement sont présentés comme indispensables pour que le saint votif tienne son rang par rapport à ceux des paroisses voisines. Les paroissiens passent encore à la caisse, en rechignant certes.

Depuis le XVIIᵉ siècle, la traditionnelle procession où la statue grandeur nature en argent du saint est promenée dans tout le bourg incite les habitants des localités proches à faire valoir violemment les vertus de leurs propres protecteurs[1]. Un curieux mélange de religion et de folklore surprend les observateurs. La fanfare du Band Club[2] en tête, précédant la statue portée par six ou huit forts des halles en aube blanche, est suivie du curé en chasuble somptueuse entouré d'une multitude d'enfants de chœur turbulents alors que la foule en liesse n'a d'yeux que pour la cohorte des soldats romains en armures de fer-blanc, l'air farouche et fier.

Les cloches sonnent à se décrocher du clocher enluminé. Centre des festivités, l'église brille de tous ses feux et ses trésors sont exposés dans les plus vives lumières. L'odeur âcre et sucrée de l'encens se répand partout, conférant à l'excitation collective une tonalité sacrée proche de l'extase... L'atmosphère est festive, spirituelle mais païenne et dramatique en même temps, les vendeurs de confettis et de nougats tirant bien sûr parti de la présence de clients moins regardants.

C'est probablement le débarquement de l'Inquisition qui, en 1574, a établi la complète domination de l'Église sur la société maltaise déjà puissamment ancrée avec le culte paulinien. Une intense et quasi unique activité religieuse enracine dans les âmes

---

1. Réagissant vivement, l'Église est parvenue à éradiquer presque complètement ces pratiques honteuses. Mais chaque année, n'ayant pas reçu les garanties suffisantes, elle doit interdire cependant quelques fêtes patronales.
2. Chaque paroisse entretient un club. Les villages qui en ont deux ont souvent hélas deux Band Clubs antagonistes. Chacun de ces clubs a une fanfare qui se produit en toute occasion.

l'attachement aux mythes, aux souvenirs et aux valeurs religieuses.

Après la chute de l'Ordre, on a bien vu que les différents conquérants, Bonaparte puis les Anglais, avaient mesuré l'importance de cette foi car, pour se faire accepter, ils prennent l'engagement préalable de respecter les positions de l'Église. Et quand, plus tard, vers 1830, les Anglais tentent d'introduire l'anglicanisme, ils se heurtent à la vigoureuse résistance de l'Église qui, *bis repetita placent*, se lève contre eux, exactement comme elle l'avait fait contre les Français en 1798. Londres cède et l'évêque devient, protocolairement, le second personnage de l'île après le gouverneur...

Aujourd'hui, l'Église continue à jouer un rôle vital et participe encore de l'initiation sociale des individus. Bien qu'atteinte par le modernisme aclérical de notre temps et perdant quelque peu son emprise sur la jeunesse, elle est toujours la raison d'être de la grande majorité et donne le *la* en matière morale voire politique. Elle se garde de répéter son anathème contre les socialistes comme lorsque l'archevêque Gonzi[1] les excommunia sous Mintoff, mais elle ne se prive pas de philippiques contre l'immoralité publique et les risques de division engendrés par un clivage politique implacable.

Certes, le droit d'asile est aboli en 1828 tout comme les privilèges des tribunaux ecclésiastiques, le mariage civil a été introduit en 1974, l'éducation n'est plus un monopole religieux, et surtout, les deux diocèses de Malte et de Gozo ont dû, sous la pression sans équivoque du Vatican fatigué des querelles entre l'évêque et le gouvernement socialiste de Dom Mintoff, céder à l'État une part considérable de ses propriétés foncières, ne conservant *grosso modo* que les lieux de culte et des écoles. Le plus célèbre et honni Premier ministre de l'histoire de Malte qui a fait chanter la planète en se rapprochant spectaculairement de la Chine et de la Libye n'avait pas hésité à prendre le

---

1. Oncle du Premier ministre actuel.

fameux tableau de saint Jérôme en otage pour faire céder l'évêque...

Mais, cheval de bataille essentiel pour l'Église, le divorce, même civil, n'est pas autorisé.

Au début du XVIe siècle, plus de 400 églises répondent aux besoins spirituels de 20 000 habitants environ. Deux cents années plus tard, on compte encore près de 1 200 prêtres pour 90 000 habitants et malgré les mesures conservatoires et oppressives édictées par Bonaparte, tous les ordres religieux sont présents et numériquement nombreux : 14 couvents et 350 moines (sans compter les chevaliers de l'Ordre). Le clergé séculier[1] est pléthorique : estimé à 6 000 individus pour 40 000 habitants mâles[2] à la fin du XVIIIe siècle, il ose même en 1775 comploter contre l'Ordre, et réitère ses engagements politiques en prenant la tête de l'insurrection contre les troupes françaises en 1798.

De nos jours, il existe à Malte et à Gozo plus de 300 chapelles et églises en service, sans recenser celles que cachent les palais et demeures privés que servent encore plus de mille clercs dont près de 200 pour la seule Gozo[3]. Et on estime que 90 % des citoyens maltais se rendent à la messe dominicale et que beaucoup d'entre eux le font quotidiennement sans ostentation, simplement pour se trouver sereinement dans la maison de Dieu quand cela leur est possible. Quant à la ferveur lors des fêtes patronales, elle ne se dément pas et impressionne.

Alors religiosité ou foi authentique ?

Sur ce sujet, il convient d'être prudent car tout jugement est subjectif. Je pense que le mélange des deux ne peut être nié mais que, même s'il surprend le visiteur accoutumé aux prati-

---

1. Par opposition au clergé régulier (les ordres religieux) mais surtout à celui propre à l'ordre de Saint-Jean.
2. Certains grands maîtres se sont d'ailleurs émus du manque à gagner que ces vocations représentent pour le service militaire.
3. Il ne faut pas occulter le fait que, non décomptés dans ces chiffres, plus de 250 prêtres maltais et gozitans sont « prêtés » à l'étranger.

ques restrictives des sociétés modernes dans lesquelles il vit, le cléricalisme manifeste qu'admettent d'ailleurs les prêtres les plus éclairés n'enlève rien à la foi ardente qui brûle dans le cœur des Maltais. Certes, pour beaucoup, ce credo est aveugle, fondé sur les traditions familiales auxquelles on ne veut pas déroger, davantage que sur une recherche personnelle et approfondie des fondements de la croyance.

La crédulité rustique de larges franges de la population est volontairement entretenue par certains clercs, eux-mêmes plus attachés à la dévotion aux représentations (reliques, statues, peintures) des saints qu'à une authentique instruction religieuse. En quelque sorte, on est catholique puisque les parents le sont et que tout le monde l'est !

Il est indéniable aussi que le rôle des voisins dans une société étroite où tout est observé, commenté, jugé incite fortement à l'orthodoxie des comportements : on pourrait se poser en chrétien afin de ne pas avoir d'ennuis avec son entourage... Il est vrai également que pour beaucoup, le fait de se rendre régulièrement aux offices, voire d'y communier tient lieu de fondement à leur vie de chrétien : Vous voyez, je vais à la messe. Je suis donc un bon chrétien ! Ne m'en demandez pas plus... La forme plus que le fond, en somme !

La part de théâtralité est indubitable qui frappe l'observateur, de même que le désir de s'émotionner, voire de se montrer en spectacle. Mais est-ce vraiment différent en Sicile ou à Séville ? Ne sommes-nous pas au cœur de cette Méditerranée excessive et émotive dont nous apprécions tant d'autres aspects ?

Il existe encore un climat diffus de superstition et de rites superficiels, de croyances désuètes et abandonnées ailleurs que l'Église combat mollement. L'inventaire à la Prévert des reliques de la cathédrale Saint-Jean est significatif des croyances d'un autre temps et on pourrait rire de ce nombre de vertèbres, d'os, de bras ou de côtes de ces pauvres saints dépecés, dispersés et offerts – contre leur gré sûrement – à la dévotion populaire, probablement identique à celle contre laquelle Luther s'est insurgé. Mais le culte des reliques se poursuit, presque comme au Moyen Âge car il continue à emplir les églises. Il assure à toutes les manifestations religieuses une audience qui se dément d'autant moins qu'elles deviennent ludiques.

La plupart des curés ferment les yeux sur les dérives païennes qui polluent de plus en plus les fêtes de leurs paroisses et les transforment en véritables défilés de carnaval. Elles attirent les foules de tout le pays et les tour-opérateurs y déversent leurs cars de touristes armés de caméras et en quête d'exotisme... Mais que faire ? S'y opposer, ce serait faire le jeu de la paroisse d'à côté ou pire, se couper de ceux qui sont attachés à ces pratiques, et les perdre à jamais.

L'entrée dans l'Union européenne en 2004 commence difficilement avec ce débat mal engagé sur la notion d'héritage chrétien à inscrire dans la constitution auquel les Maltais tiennent légitimement. L'UE inquiète les clercs qui redoutent les effets d'entraînement d'un monde largement déchristianisé alors qu'ils subissent déjà de plein fouet une érosion sensible du recrutement des séminaristes, mais surtout, dans la jeunesse qu'ils tiennent moins en main que par le passé, une osmose préoccupante avec des pratiques « perverses et immorales » en cours sur le continent : cohabitation des jeunes couples, abandon des habitudes cultuelles et des mouvements religieux, loisirs profanes, etc. Ils ressassent les exemples espagnol et italien peu encourageants.

En bref, ne sachant que faire, désireux de conserver la haute main morale sur le pays, invoquant le passé lorsqu'ils tinrent le gouvernail de la nation, les prêtres estiment que sous la religiosité se dissimule malgré tout un peu de religion, et préfèrent le pharisaïsme de beaucoup à pas de culte du tout.

CHAPITRE XXI

LA LANGUE MALTAISE

Le 1ᵉʳ mai 2004, Malte devient membre de l'Union européenne et sa langue, parlée seulement par moins de 400 000 personnes, s'élève au rang d'idiome officiel de l'entité. Cet exploit – fort complexe et coûteux au demeurant pour chaque Européen – illustre l'habileté des négociateurs, porteurs d'une mission vitale pour le peuple : celle de faire reconnaître l'importance de cette langue pour la nation. Il est probable, et c'est en tout cas le motif invoqué par ces opiniâtres délégués, que sans ce résultat inespéré, le référendum populaire organisé pour ratifier l'adhésion aurait pu être négatif. C'est dire le prix que leur langue représente pour les Maltais qui semblaient prêts à sacrifier leur appartenance à l'Union européenne et, il faut l'admettre, y compris pour les plus anglophones d'entre eux qui la parlent mal.

Plus qu'une question de prestige, la langue maltaise est le ciment national, utilisé depuis des lustres par l'Église pour rassembler les ouailles sous la bannière du Christ. Comme ils sont les seuls à la connaître et à l'utiliser, elle distingue ses locuteurs de tous les autres peuples au monde.

Le maltais a failli s'éteindre, et l'étincelle survivante qu'ils n'ont cessé d'attiser et qu'ils ont nourrie de multiples sources est maintenant un foyer vivace qui ne doit pas plus disparaître dans l'avenir communautaire européen qu'il n'a défailli durant les tribulations traversées depuis quelque mille ans.

Une des caractéristiques qui fait l'originalité de ce parler est qu'il doit sa survie aux pauvres, aux illettrés, aux *hamallis* en quelque sorte, et fort peu aux universitaires ou à la population cultivée. Si ces derniers, les notables, étrangers ou maltais, ont fortement contribué à modeler le sort politique de l'archipel, ce sont les insignifiants qui ont coulé le moule de la langue. Tout comme pour l'édification de La Valette lorsque les ouvriers maltais manièrent la pioche pour creuser les falaises, transporter les blocs de pierre et gâcher le mortier, de même les paysans et les prolétaires, véritables locuteurs du maltais, peuvent se prévaloir d'avoir construit leur langage. Une exception bizarre cependant : c'est un savant allemand, Johan Majus, qui, en 1709, s'intéresse le premier au maltais. Mais il a un dada, celui de voir du punique partout y compris, bien sûr, à l'origine de cette langue. Il se trompe, mais néanmoins, attire quelque peu l'attention sur elle.

Contrairement au français ou à l'italien qui n'ont qu'une seule origine sémantique, le maltais compte trois foyers principaux : la sémitique, la latine, l'anglaise. Propagée par les conquérants sémites musulmans, l'arabe a, dès le début du second millénaire, délogé les restes de punique qui subsistaient et s'est imposé comme le moyen vernaculaire de s'exprimer autant en Sicile que dans l'archipel maltais. Certes, ce dialecte est assez loin de l'arabe classique, tirant vocabulaire et grammaire de ce charabia arabo-berbère parlé en Afrique du Nord après la conquête arabe. Tant la linguistique que la toponymie sont caractéristiques dans les deux îles de leurs origines arabes. Et donc, est-ce pour marquer fortement l'européanité des deux îles qu'un choix délibéré et politique a été fait en faveur des caractères latins pour transcrire une langue qui jusqu'alors n'était que parlée ? Il a donc fallu de véritables talents d'acrobate pour transposer le plus fidèlement possible des sons qui n'ont pas d'équivalents sauf pour des gorges arabes et encore...

Quand Normands et Angevins chassent les Arabes (en 1091), puis quand l'ordre de Saint-Jean impose son autorité, quantité de mots français, latins et italiens sont introduits qui se mélangent au substrat existant et forment la seconde source importante en raison de la durée d'influence (sept cents années). Sont ainsi incorporés des concepts plus intellectuels, imagés et virtuels alors que les mots d'origine arabe seraient plutôt matérialistes et... religieux : Dieu est *Allah*, Seigneur *Moulay*, tandis qu'indépendance est *independancja* et patrimoine *patrimonju*...

Puis en 1800 commence l'ère anglaise qui pose la question de la langue officielle. Comme on l'a vu précédemment, l'italien était la *lingua franca* de l'administration et des éduqués avec lesquels les Anglais devaient composer et travailler quotidiennement. Il était impossible qu'à un moment ou à un autre, les dominants ne tentent pas à leur tour d'imposer leur langue, moyen élémentaire pour dicter leurs décisions. Ils ne pouvaient pas ne pas se froisser de l'utilisation *ubi et orbi* d'une langue étrangère à leur savoir.

Le public maltais est divisé : les uns souhaitent fortement conserver l'italien en raison des liens culturels et traditionnels, mais surtout semble-t-il pour la distance qu'il permet de maintenir vis-à-vis des occupants. Les autres, les commerçants, les armateurs notamment, n'envisagent que des bénéfices à utiliser l'anglais, langue qui se révèle déjà internationale.

La question de la langue devient, pendant près d'un siècle donc, un combat éminemment politique mais entre l'anglais et l'italien uniquement. Le maltais est complètement absent du débat de fond, en dépit de l'implication de certains écrivains qui se réveillent en rédigeant maladroitement en maltais selon leur propre libellé.

En 1920 se constitue l'Académie maltaise qui vise à standardiser l'orthographe qui n'a jamais encore été codifiée car ce n'était pas plus qu'un simple dialecte oral. L'introduction d'étranges mots déroute le béotien qui voit là d'inutiles complications telles que le redoublement de consonnes comme les X ou les G ou encore les J à la place des I. On est obligé de recourir à des inventions de lettres pour rester fidèle à certaines prononciations. Et, seulement en 1934, le gouverneur anglais admet que le maltais pourra être enseigné dans les écoles publiques.

Entre-temps, bien sûr, l'anglais a pénétré insidieusement la langue qui s'est vengée en « maltisant » si profondément nombre d'expressions que les Britanniques eux-mêmes ont des difficultés à reconnaître leurs enfants. Ceci étant, cette troisième source est donc officialisée.

Où en sommes-nous aujourd'hui ?

L'apport sémitique est toujours puissant et largement majoritaire (70 % peut-être) mais stable et figé dans le passé. À l'inverse des deux autres éléments, il n'évolue pas et ne s'enrichit pas. Ceux-ci en revanche se développent, adoptant, absorbant et assimilant sans cesse de nouveaux appoints et créant ainsi de nombreux synonymes puisés dans les trois sources. C'est ainsi qu'on peut trouver trois mots ou davantage issus des trois origines pour désigner *grosso modo* le même concept... Ainsi l'idée d'« habitation » peut se dire par une quinzaine de mots d'origine arabe dont *dar* ou *bejta* par exemple, dix latins parmi lesquels *residenza, villa* ou *kaza (casa)*, et une douzaine de sabirs anglais comme *flatt (flat), xelter (shelter...)* ou *blokk*. Quelle richesse !

L'adoption de certaines expressions et de mots du vocabulaire plutôt que d'autres est aussi la marque d'une classe sociale donnée, dont on revendique l'appartenance. Il est plus snob ou plus populaire d'employer tel ou tel mot pour indiquer un concept ou une nuance, sachant que le peuple continue à privilégier plutôt les mots d'origine arabe alors que les lettrés préfèrent employer les mots d'origine latine ou anglaise.

Tout en se montrant extrêmement fier des racines ancestrales de sa langue, le Maltais fait étalage d'une grande aptitude et d'une souplesse remarquable pour s'adapter sans vergogne aux évolutions et aux intégrations des mots les plus modernes qui l'enrichissent, mais aussi la polluent.

Comme, parallèlement, la culture populaire et traditionnelle connaît un renouveau étonnant, fondé exclusivement sur cette langue, il est clair que la pérennité du maltais est assurée même sans viser un statut mondial ou une influence prédominante, bien sûr. De surcroît, il continue à jouer un rôle vital dans la spiritualité de la nation quel que soit le niveau social des locuteurs.

Le maltais est sauvé et manifeste une santé éclatante irritant parfois l'étranger qui s'interroge sur l'avenir d'un idiome parlé par si peu d'utilisateurs. Mais il semble légitime de questionner le coût et l'intérêt fondamental de la traduction des millions de pages de règlements et de directives européens en cette langue alors que – il est facile de le constater –, les Maltais qui vont les utiliser maîtrisent tous parfaitement l'anglais... Serait-ce uniquement pour satisfaire l'ego excessif des Maltais que cette œuvre disproportionnée avec son enjeu est lancée ?

CHAPITRE XXII

MDINA ET GOZO

Les auteurs anciens ne citent que deux villes pour évoquer l'archipel maltais : Melite pour l'île de Malte elle-même et Gaudos (ou Gaulos) pour sa petite sœur Gozo. Au IIe siècle avant J.-C., Ptolémée fournit des précisions sur ces deux centres. L'un gît sous la vieille cité de Mdina dont il n'épouse pas exactement les contours d'ailleurs car il les dépasse largement sous ceux de Rabat. L'autre est bien sûr le Rabat-Victoria de Gozo.

Les joyaux architecturaux sont nombreux à Malte et il serait fastidieux de s'étendre sur chacun de ces trésors anciens. Nous l'avons fait pour La Valette, bien plus récente, mais on ne saurait quitter ce splendide archipel sans consacrer quelques instants à ces deux fleurons antiques qui, aujourd'hui encore, inspirent émotion et attachement.

Gozo

Plusieurs sites en Méditerranée se disputent l'honneur d'être la mythique Ogygie[1], l'ombilic de la mer, ayant abrité la nymphe Calypso, qui, selon Homère, amoureuse transie, retint Ulysse prisonnier pendant sept longues années. Cette détention ne fut pas totalement platonique car le vigoureux Grec laissa à la belle deux enfants avant de se déclarer nostalgique de Pénélope. L'*Odyssée*, saga maritime du maître d'Ithaque, îlot minuscule également où l'attendait vertueusement cette fidèle épouse, ressemble étrangement à celle de saint Paul, et, comme elle, pourrait relever de la pure légende. Poussés par des vents d'Est, tous deux ont dérivé pendant plusieurs jours pour finir drossés sur une île peu facilement identifiable que plusieurs pays s'attribuent. La comparaison s'arrête là car si le saint trouva Publius et les Barbares qu'il convertit au christianisme, Ulysse, lui, se confronta avec le cyclope Polyphème, monstre cannibale et borgne qu'il dut occire avant de résister – partiellement donc – aux charmes indéniables de la belle Calypso.

Car, si on comprend que cette séduisante fille du titan Atlas ait été captivée par les falaises prenant une couleur de miel de bruyère au soleil couchant et peut-être par l'activité des ramasseurs de sel auprès desquels ses serviteurs devaient s'approvisionner, il est possible d'envisager qu'Ulysse aussi s'allongeait lascivement sur cette plage au nord et, lorsque le temps était clair, rêvait de l'infini face aux fumerolles innocentes de l'Etna et de l'ingratitude des dieux quand ses colères rougissaient l'horizon. Peut-être lui avait-elle transmis le virus de la gozophilie et accepta-t-il de demeurer sept ans sur cet îlot parce qu'il en était devenu amoureux...

Ce qui est certain c'est qu'ils n'ont pas pu tous deux apprécier l'acropole ni les riches villas romaines aux splendides mosaïques qui furent érigées au pied de la ville de Gaudos. Les Romains étaient assez prospères pour s'offrir quantité de bâtiments publics et religieux aux fastueuses décorations de marbre. De même, la délaissée amante a manqué de plusieurs dizaines de siècles le baroque déchaîné des églises villageoises de cette petite île dont les cloches sonnent l'angélus dès potron minet, lorsque les vieilles maisons se colorent d'ocre sous l'effet

---

1. Il faut savoir que dans la magnifique baie de Syracuse, un îlot porte le nom, proche, d'Ortygie...

de l'aube naissante... pas plus que l'existence paisible et sereine des habitants de ces localités rythmée par la routine rassurante des jours tous semblables. Et les fermes fortifiées si belles dans leur simplicité et la force qu'elles inspirent datent de la fin du XVIᵉ siècle, après l'arrivée des chevaliers donc, qui apportèrent à l'île un début de sécurité relative, pouvait-elle les imaginer ? Elles permirent aux fermiers de se protéger contre des raids de faible importance et surtout de constituer une chaîne de fortifications côtières ne les obligeant pas à se réfugier dans la citadelle à la moindre alerte.

Il est évident que, si elle a réellement vécu, Calypso a eu le loisir d'errer pensivement dans l'enceinte des deux magnifiques temples néolithiques et notamment le très célèbre Ggantija (« tour des géants ») considéré comme le plus ancien au monde. A-t-elle réfléchi au fait que ce furent ses ancêtres, qui sont les nôtres aussi d'ailleurs, qui l'ont construit environ 3 000 années avant J.-C., ce qui montre qu'eux aussi ont, comme elle, goûté les doux charmes de la petite île ? Mais là encore le mystère subsiste, le même qu'à Malte quant à la destination de ces gigantesques installations de ces temps préhistoriques.

Suivant Paul de deux siècles, la sainte sicilienne Agathe se serait réfugiée dans un caveau de Rabat, le seul bourg de l'île, fuyant les avances insistantes d'un préfet romain. Mais l'ayant retrouvée, celui-ci se vengea horriblement en lui sectionnant les deux seins dont l'un, étrange et originale relique, a miraculeusement atterri enrobé dans une châsse d'argent à l'église Saint-Merri à Paris.

Tout comme Malte, Gozo subit des occupations et des tribulations diverses, et en 1241 comptait moins de 400 familles dont près de la moitié musulmanes. Cela n'empêche pas que ramenant la dépouille de Saint Louis mort à Tunis au retour de la croisade, les navires français viennent se réfugier dans les criques de Gozo en 1270 où ils enterrent les corps de plusieurs croisés décédés pendant la tempête.

Comme les Turcs ne prisaient pas seulement les robustes habitants comme galériens et les capiteuses habitantes comme servantes, mais aussi les archives de l'île avec lesquelles manifestement ils se chauffaient, on ne sait rien de la vie des villages avant le grand raid de 1551. Plus de 5 000 de ces malheureux îliens, dit-on, furent emportés en esclavage. L'Ordre fait en sorte que des Siciliens viennent la repeupler et la première paroisse indépendante de Malte, Xewkija, apparaît en 1678.

Gozo a donc vécu une existence infernale. Combien de fois fut-elle dévastée et dépeuplée par ces *rezzous* maritimes ? Totalement en 1551 donc, puis encore sept fois avant le tournant du siècle, au point que, désespérés de ne pouvoir la défendre, les grands maîtres envisagent de l'abandonner purement et simplement.

Siège d'une *Universita*[1] comme Mdina, la citadelle de Rabat perd son statut puis sa garnison et ne montre pendant longtemps que le souvenir d'une grandeur perdue. C'est Jean-François de Chambray, un riche et courageux chevalier français, qui redonne à Gozo un rôle militaire en ébauchant, en 1759, à ses frais, la construction des fortifications dominant Mgarr, le port commercial de l'île. Fort Chambray aurait dû, comme La Valette, devenir la ville fortifiée de référence de la petite île. Le projet périclite mais les bastions demeurent : défendus par des chevaliers italiens, ils tinrent la dragée haute aux Français qui, en 1798, avaient pourtant conquis l'archipel avec une grande facilité.

Beaucoup moins peuplé et dense que sa voisine (environ 5 000 en 1670, 12 000 en 1790 et 30 000 habitants de nos jours), Gozo est le grenier de La Valette du temps de l'Ordre, et la nourrit en y envoyant quotidiennement six à sept bateaux chargés de victuailles. Moins aride, plus verte, elle dispose de sources suffisantes pour une agriculture reconnue et appréciée même hors de l'archipel (les petites pommes de terre et les tomates en particulier).

Et, détail qui a son importance !, ce n'est que sur certains rochers de cette île que se trouve, le minuscule champignon

---

1. Municipalité dotée de pouvoirs certains sur tout le territoire de l'île.

cynomorium coccineum (appelé communément *fungus melitenses*) dont les vertus curatives sont indéniables au point d'avoir, paraît-il, sauvé le grand maître La Valette après sa blessure durant le Grand Siège. Appréciant ses qualités, mais probablement plus les vertus aphrodisiaques qu'on lui prête, un de ses successeurs, Pinto, fit en 1774 de la récolte du *fungus* un monopole d'État. Et pour le faire respecter, il ne fit pas moins que de bâtir une tour et d'y placer des gardes. Quelles doses de *fungus* s'autoadministrait-il ? Les archives ne le précisent pas hélas, mais en tout cas, plus vert galant que notre Henri IV, il mourut encore « valide et actif » à 91 ans bien sonnés.

Satellite de Malte, mal aimée et en même temps trop aimée des gens de la « grande île », les Gozitans se sentent méprisés et exploités. En effet, ils sont réputés pour leurs attitudes d'assistés et leur pingrerie légendaire, motivée certainement par les conditions d'existence précaires et difficiles qu'ils ont toujours vécues. Mais on grince des dents quand on évoque cette tradition d'omerta qui protège tous les enfants de Gozo, fieffés criminels, incestes, adultères notoires, etc. contre les rets de la justice. Connu de tous, un grave délinquant ne risque rien et meurtres, vendettas ou autres délits ne seront que rarement élucidés.

Beaucoup de ces Gozitans, considérés comme des provinciaux mal dégrossis, doivent traverser chaque jour pour s'employer à Malte car sur place il y a peu à faire, sauf dans une administration pléthorique mais mal payée. Les Gozitans se sont toujours sentis sous la tutelle de La Valette et voudraient secouer cette ombre encombrante et respirer leur propre air pur.

Du temps de l'Ordre, les choses se présentaient différemment car ils étaient à la fois les gardes-chasses de la réserve des chevaliers et les invités des grands maîtres presque tous passionnés Nemrods et les gardiens d'une des prisons de l'Ordre. Le domaine de Lunzjata conserve, certes démantelée, sa magnifique porte qu'empruntaient les grands maîtres pour se livrer à leurs plaisirs cynophiles. Les habitants, eux, n'avaient bien sûr que le droit de regarder, d'aider voire de prendre le risque de braconner. Ce monopole bien dans la mode du temps, là comme ailleurs en Europe, incita l'un des souverains à risquer un conflit ouvert avec le pape en interdisant aux clercs de céder, eux aussi, à cette passion funeste... pour le gibier qu'il convoitait lui-même...

À Gozo, on entretient les légendes comme les chevaux. La chapelle Saint-Dimitri, par exemple, célèbre le retour au pays du fils bien-aimé d'une veuve enlevé par les pirates. Invoqué par Zgugina la mère éplorée, Dimitri partit comme une flèche et ramena le garnement. Un tremblement de terre fit chuter la chapelle dans la mer, mais la bougie qu'allume toujours la veuve reconnaissante se voit encore sous les flots... Une nouvelle chapelle sert de nos jours aux mères pour demander des grâces en faveur de leurs enfants courant des périls d'une autre nature.

À l'instar des chevaliers d'il y a trois cents ans, les Maltais contemporains de la grande île viennent se reposer à Gozo des difficultés de la semaine ou de la chaleur de l'été dans leurs villes. Dans un des seize villages où l'existence se déroule selon un tempo pastoral et où l'église n'est pas seulement le cœur du village, mais au cœur de chaque villageois, ils y recherchent une atmosphère traditionnelle, plus sereine, presque hors du temps et restaurent parfois une de ces fermes fortifiées édifiées presque au hasard.

Ils apprécient aussi les opéras stupéfiants donnés concurremment par l'un des deux clubs, Astra et Aurora, rivaux acharnés depuis des siècles et qui, pour prouver la supériorité de leurs adhérents, n'ont rien trouvé de mieux que de monter de prodigieux spectacles qu'ils ne jouent qu'une seule fois. Et encore, on peut se réjouir que la hiérarchie religieuse ait trouvé le moyen de faire comprendre qu'il serait bon que ce soit à des jours différents...

Comino

Satellite du satellite, Comino tire son nom du cumin ou fenouil sauvage – cette épice recherchée par les sociétés du

Moyen Âge – qui y abonde encore. Mais ses anfractuosités servirent pendant des générations de havre aux pirates siciliens et barbaresques qui, à l'affût de toutes les voiles apparaissant à l'horizon, écumaient la Méditerranée et semaient une immense pagaille dans les transports maritimes. Une autre tour s'élève aussi sur cet îlot, mais dont la mission est autrement plus honorable. Grâce en effet à un réseau de tours qui se relayaient pour transmettre les signaux de fumée ou de feux jusqu'à la capitale, ses occupants pouvaient alerter La Valette de toute approche de pirates ou d'ennemis et tenter d'empêcher le débarquement sur la seule plage possible qu'elle domine.

Un anachorète qui a dû donner du fil à retordre à l'Inquisition a vécu retiré à Comino. Le juif espagnol Abraham Aboulafia est un spécialiste de la kabbale et converse avec le diable. Il est aussi un numériste renommé et atteint l'extase prophétique en répétant inlassablement les noms de Dieu. Mais le pape n'apprécie pas ses dérives dogmatiques qui le condamnent au bûcher et, preuve qu'il a décidément le mauvais œil, le rabbinat est également à ses trousses. Comino lui semblant à l'abri des ires diverses qu'il suscite et qui le poursuivent, il s'y installe en 1288. La paix qu'il y trouve lui aurait permis de rédiger son unique ouvrage, le *Livre du Signe*. Puis une nouvelle extase l'enlève mystérieusement aux yeux de ses admirateurs car il disparaît sans tambour ni trompette...

Mdina

Les qualificatifs ne manquent pas pour désigner Mdina la belle, la cité silencieuse, la *Citta Notabile*, c'est-à-dire la noble cité tout autant que la cité des nobles...

Pénétrer de nuit par la Porte des Grecs, découvrir cette ville déserte, comme morte ou abandonnée sous les glauques lueurs projetées par des lanternes perçant difficilement les ombres épaisses qui y règnent, est une source d'émotion intense. Les pas résonnent de façon inquiétante sur les hauts murs des palais, on ne sait pas ce que réserve le prochain tournant de l'étroite ruelle. Tout est mystère...

Oppidum juché à 200 mètres d'altitude sur le point culminant de l'île, utilisant merveilleusement bien les falaises sur lesquelles elle se perche, et contrôlant les baies du Nord et du Sud propices aux débarquements, elle voit imperturbablement passer et s'en retirer des hordes d'envahisseurs et d'occupants. Les strates géologiques de la ville pourraient révéler bien des secrets sur ses nombreux et successifs habitants : hommes du néolithique, bien sûr, abrités dans les grottes, puis Grecs, Romains (c'est ici que siégeait Publius, le gouverneur que convertit saint Paul), Arabes qui dès 870 creusent les douves sèches la séparant du nord de Rabat et qui, réduisant sa superficie, lui donnent ce caractère intimiste et délicieux.

Déprédations, pillages, tentatives de destruction, puis séisme de 1693 semblent s'acharner contre elle alors que sont plutôt épargnées les autres cités de l'île.

Négligée par les chevaliers à la forte vocation maritime, qui ne pouvaient donc s'installer que dans un port, Mdina mérite véritablement le nom de cité du silence devant la formidable concurrence que lui fait La Valette lors de sa construction. Friands de vie et de lumières, les nobles ne sont plus attachés à la notabilité qu'ils lui ont conférée par leur simple présence et la désertent. Elle perd son statut de siège de gouvernement des Maltais (*Universita*) et dès 1720 devient la *Citta Vecchia*, la ville vieille, morte en quelque sorte, une ville-musée selon les relations des voyageurs de cette époque.

Les touristes d'aujourd'hui ne pourront malheureusement pas pénétrer dans les maisons patriciennes des quelques aristocrates – qui y sont demeurés en dépit de la mode – et qui jalonnent les rues étroites. Ils ne verront que les bâtiments publics dont le palais baroque du grand maître Vilhena qui appréciait passer ses fins de semaine dans ce calme monacal et les églises dont la co-cathédrale édifiée en 1710 sur l'emplacement d'une vieille chapelle romane mise à bas par le tremblement de terre dont il ne reste qu'une porte. Comme à La Valette, Mattia Preti y a laissé son empreinte en signant plusieurs peintures dont le célèbre naufrage de saint Paul.

L'Isle-Adam aurait vécu quelque temps dans une des plus belles demeures de Mdina lorsqu'il débarqua dans l'archipel en octobre 1530. Ce palais Falzon est un des rares survivants de l'architecture sicilo-normande venue de Naples et de Palerme et qui marque splendidement cette présence française sur l'île.

Mdina est une ville pathétique et nostalgique qui s'est endormie sur un passé fabuleux pour le plus grand contentement de ceux qui veulent admirer les réalisations de nos ancêtres. La munificence de ses demeures ne la sauvera pas d'une lente agonie car sombres et peu confortables, elles ne répondent plus aux critères de confort des Maltais modernes.

Forte d'environ 400 habitants dont un pourcentage étonnant de nonnes et de prêtres (il était de 100 à l'orée de la Révolution française, soit un prêtre pour 30 habitants...), elle maintient une municipalité mais a perdu son école car elle ne peut plus la fournir en élèves.

CHAPITRE XXIII

L'AMOUR...

Le palais Xara est sis juste à l'entrée de Mdina, la *Citta Notabile*. Accolées aux remparts septentrionaux de la *Citta Vecchia*, les fenêtres de la demeure patricienne dominent la campagne. À gauche, le petit hameau de Saint-Paul se distingue dans le lointain, et, par temps clair, on devine en face la Sicile surmontée du panache de fumerolles que crache en permanence l'Etna.

La famille Xara fait partie des trente-sept familles dont l'ancienneté dans les rangs de la noblesse maltaise est indiscutable. Elle n'a d'ailleurs succombé que fort tard à la furieuse tentation d'abandonner son froid palais de l'ancienne capitale pour vivre la vie trépidante de La Valette. Force est de constater un immense contraste entre la foule grouillante dans les rues de La Valette, la bousculade à ses portes, l'omniprésence des chevaliers qui se prennent pour des princes, et l'étrange et pathétique silence régnant à l'intérieur de l'enclos fortifié de Mdina.

Cependant, l'on reste persuadé que la maisonnée est à l'abri des tentations citadines à se galvauder comme tant d'autres dont on chuchote les noms.

Les demoiselles Xara ont, jusqu'à présent, évité de succomber aux avances scandaleuses de jeunes chevaliers ardents. Bien chaperonnées, elles maintiennent la tradition immaculée de la famille.

Clara est l'une d'entre elles. À dix-huit ans, sa beauté et son élégance détournent le regard des passants. Elle renâcle souvent contre le conservatisme de son père et se rebelle contre les activités purement féminines qu'on lui attribue, manifestant une allergie marquée pour la broderie, la tapisserie ou la pratique de musique religieuse. Elle abhorre en effet, l'atmosphère excessivement compassée et cléricale, et les bondieuseries fanatiques qui caractérisent la société dans laquelle elle évolue.

Clara nourrit le désir de vivre, à l'instar de ses frères, une existence dépourvue d'interdits.

Même si les hommes s'efforcent de tenir les femmes à l'écart de la politique, comment celles-ci pourraient-elles ignorer les méfaits de la Révolution française sur l'unité de la famille ? Comment ne pas vibrer aux nouvelles colportées par de jeunes chevaliers, et rapportées par leurs frères et cousins tout émoustillés par les bouleversements survenus en France ?

Comment ignorer que les structures sur lesquelles repose l'Ordre qui domine la scène locale depuis 268 ans sont périmées, épuisées par leur conservatisme et que l'heure de la reprise par les Maltais des rênes de leur propre territoire pourrait sonner rapidement ?

Alors, quand on annonce, le 11 juin 1798, que la rade est pleine de navires français et que Bonaparte va débarquer, on se précipite aux bastions et, de la promenade Baraka, noire de monde, on contemple le spectacle.

Clara est du nombre. Elle voit la grande chaloupe armée de marins en grand uniforme quitter le bord de l'Orient, et un petit homme à la mince silhouette sauter d'un pas résolu sur le quai Pinto au pied de La Valette.

Elle ne sait pas encore que son destin vient de basculer.

*

Le lendemain, encore au lit, Clara entend dès le petit matin une agitation bruyante et anormale. Elle se précipite à la fenêtre et aperçoit le petit général, entrevu de loin la veille, passer d'un pas vif dans la rue, entouré d'une cohorte d'officiers chamarrés. En rejetant d'un geste brusque une mèche rebelle sur son front, il lève les yeux et son regard rencontre celui de Clara, inconsciente de l'effet que sa semi-nudité peut provoquer. Le général salue de façon ostentatoire et légèrement moqueuse en inclinant son bicorne. Amusée, Clara s'esclaffe spontanément d'un grand rire en cascade, agite gentiment la main en réponse avant de regagner l'ombre de sa chambre.

Napoléon est immédiatement intrigué et conquis. Il ordonne à son aide de camp de s'informer sur cette délicieuse personne et de lui demander de venir le rencontrer au palais Paraiso où il a établi ses quartiers.

Curieuse et impatiente de connaître le héros du jour, le libérateur qui vient d'expulser l'ordre de Malte, et profitant du désordre et de l'excitation dans lesquels le changement de régime plonge sa famille, Clara se rend dans le palais voisin.

Napoléon, l'ayant probablement oubliée et croyant avoir affaire à un solliciteur de plus, la fait introduire alors qu'entouré de tout son état-major il met au point les premiers éléments des réformes qu'il souhaite imposer au pays. Quand il se souvient soudain de l'étonnante rencontre de la matinée, il fait sortir ses officiers.

– Mademoiselle ?

– Clara de Xara pour vous servir, général.

– Que faites-vous donc à observer la rue au petit matin quand vous devriez dormir ?

– Général, quand vous êtes en ville peut-on facilement reposer sur ses deux oreilles ?

– Vous avez réponse à tout Clara. Êtes-vous toujours aussi vive ?

– Et vous général aussi matinal ?

Bonaparte s'amusait. On ne lui tenait pas tête ainsi aussi souvent et l'impertinence comme le minois de la fille l'intéressaient. Il change de sujet.

– Que faites-vous dans la vie belle Clara ?

– Ce qu'hélas font les jeunes filles de bonne famille. Attendre qu'on me marie.

— Cela ne semble pas vous plaire ?

— Vous général, aimez-vous que l'on vous impose vos choix ?

— Hum, nous sommes sur un terrain glissant n'est-ce pas ?

— Mais vous aimez les situations difficiles dont vous vous sortez plutôt glorieusement d'habitude.

— Moi je ne suis pas encore marié. Et je dois dire que je m'en félicite parfois. Comme maintenant d'ailleurs.

Clara comprend l'allusion.

— Mais vous faites la guerre tout le temps. Comment auriez-vous le loisir de vous occuper d'une femme ?

— Oh, je pense que si j'en rencontre une qui me sublime, je trouverais le temps nécessaire pour la servir et lui donner ce qu'elle serait en droit d'attendre.

— Que croyez-vous qu'elle puisse espérer d'un soldat comme vous ?

Ce fut au tour de Napoléon de réfléchir. L'espièglerie de Clara lui plaisait.

— Mademoiselle, je vous trouve charmante. Que la guerre paraît vaine quand il existe des êtres tels que vous !

— La guerre, la guerre, est-elle une nécessité ? Vous la placez avant le reste ? avant l'amour par exemple ?

— Je dois dire Clara que depuis dix minutes, je ne pense plus du tout à la guerre. Vous êtes très séduisante.

Sa main gauche se posa doucement sur une épaule qu'il sentit frissonner. Il lui sembla que la voix de Clara se faisait plus rauque.

— Général, vous êtes connu pour votre génie militaire. Mais vous savez aussi conquérir ailleurs que sur les champs de bataille.

Napoléon se pencha et posa sa bouche sur les cheveux de Clara. Il s'agenouilla à ses côtés, lui prit la main et la baisa longuement. Il se redressa et, après avoir fixé ses yeux dans les siens, posa enfin ses lèvres sur sa bouche.

*

La tradition (ou la légende) qui relate les « bonnes fortunes » de Bonaparte pendant son court séjour à La Valette insiste sur le fait que toutes auraient été introduites par un escalier dérobé qui communiquait entre le palais Paraiso où le général avait choisi d'établir son appartement bureau et l'auberge de Castille.

Toujours est-il que la question qui reste sans réponse est de savoir comment le futur empereur des Français, qui ne resta que six jours à Malte, put avoir les si nombreuses passades qu'on lui prête. Car sa tâche législative fut immense.

Quel que fût le nombre de jeunes femmes qu'il honora, il demeure que, dès le premier soir, Napoléon et Clara Xara vécurent une passion sans limites.

Ce premier élan de sa jeune existence, Clara le vit hors du temps et sans imaginer que chaque heure le rapproche de son terme. Car Bonaparte est certes amoureux, mais il suit son destin et Malte n'est qu'une escale dans son existence échevelée.

Le couperet tombe le 17 juin 1798. La rencontre des deux amants n'a pas été sensiblement différente des précédentes. Elle s'est offerte à lui sans réserve. Mais ce jour-là, à son oreille, elle ose l'impensable :

— Épousez-moi, mon amour. Je suis vôtre pour toujours.

— Clara, vous serez malheureuse avec moi. Je suis un soldat au service de la République, vous le savez parfaitement.

— Oui, mais les soldats peuvent aussi être aimés.

— Clara, pour l'heure il me faut exécuter les ordres de la République. J'embarque demain.

— Vous avez des dizaines de généraux brillants et combatifs, aptes à vous remplacer. Donnez-leur le commandement. Restez avec moi, je vous en supplie mon amour. Marions-nous. Prenez la direction du pays. Je vous assisterai dans tout ce que vous entreprendrez. Nous serons heureux.

— Soyez raisonnable Clara. Ne gâchez pas nos derniers moments.

Le flot de larmes de Clara s'amplifie.

— Bien, je pars avec vous. Vous ne me verrez que lorsque vous le désirerez. Je vous aime assez pour disparaître lorsque ce sera indispensable. Je prendrai soin de vous cent fois mieux que vos ordonnances...

– Ma Clara, je vous aime, vous le savez. Mais que peut faire une femme aussi délicate que vous au milieu de rudes soldats, sur des champs de bataille, au milieu des déserts, soumise à la mitraille et à la vue du sang ? C'est impensable. Vous regretteriez cette décision dès les premiers instants.

Tout semblait être dit. Occupé à remettre de l'ordre dans sa tenue, Napoléon ne prend pas garde aux changements d'attitude de la jeune femme. Continuant de s'épandre en larmes, le regard de Clara s'est durci. Elle se lève brutalement et retire un petit canif de poche de ses habits, elle l'ouvre.

– Si vous partez, je me tue.

Napoléon ne put retenir un éclat de rire à la vue de la lame minuscule.

– Avec cela ? Prenez plutôt mon épée, dit-il en faisant mine de la lui tendre.

Clara se jette sur lui le couteau à la main et, visant ce cœur qu'il veut lui enlever, elle frappe de toutes ses faibles forces et parvient à entamer le drap de la tunique. Napoléon n'a pas de mal à la désarmer, mais il sent cependant qu'il a été touché et que le sang perle. La jeune femme s'évanouit à la vue de son sang. Il la recouche tendrement, puis quitte la pièce, recommandant à son fidèle aide de camp de prendre soin d'elle.

*

Les Maltais affirment aujourd'hui que la célèbre attitude de l'Empereur conservant la main sur son abdomen est due à cette légère blessure qu'il ne veut pas oublier et qui continue à le faire souffrir sentimentalement...Avec des airs entendus, ils affirment aussi que la descendance maltaise de Napoléon a pour souche, entre autres, cette liaison passionnée.

Rangée, détruite, Clara Xara a longtemps attendu l'improbable retour, puis elle s'est mariée avec le premier venu proposé par sa famille. Elle aura entretenu toute sa vie dans son cœur le souvenir de cet incroyable et infini amour. À l'annonce de la mort de Napoléon à Sainte-Hélène le 5 mai 1821, elle a pris le voile et ne l'a jamais quitté.

CHAPITRE XXIV

MALTE ET LA FRANCE

Trois grandes nations peuvent se prévaloir de relations historiques particulières avec Malte. L'Espagne qui, directement ou par l'intermédiaire des vice-rois de Sicile, ses vassaux, a toujours été la puissance tutélaire et la suzeraine légale de l'archipel entre 1282 et 1798. À cette Espagne, on peut lier l'Italie dont le territoire fut si longtemps dépecé entre plusieurs dominations dont l'espagnole justement et qui, bien qu'inexistante avant Garibaldi qui l'a unifiée en 1867, a le droit historique de revendiquer à Malte bien des choses : une profonde influence raciale (personne ne peut calculer le pourcentage de sang sicilien dans les veines maltaises...), culturelle, linguistique... et ce sont ses architectes, ses peintres, ses artistes voire ses artisans qui ont, de leurs mains et pendant des siècles, façonné l'île telle qu'on la trouve aujourd'hui.

L'Angleterre ensuite, qui a occupé puis colonisé Malte de 1800 à 1964 (qu'elle n'a d'ailleurs quittée militairement qu'en 1979) et dont l'anglicanisme triomphant et agressif n'a pas suffi pour briser le catholicisme roi de l'île. L'approche britannique, aux antipodes du « méditerranéisme » qui a su mêler la rigueur saxonne et le laisser-aller bon enfant des Latins, a contribué à une certaine modernisation de l'État actuel. Grâce à elle une nouvelle page d'histoire aussi glorieuse que celle de 1565 a été inscrite sur le drapeau maltais qui arbore la croix de Saint-

217

George après la résistance héroïque de 1941. Oui, être dirigé de Londres a laissé des traces indélébiles sur le terrain et dans les âmes, qu'on peut déplorer mais qu'il faut reconnaître...

Et la France alors au milieu de ces emprises divergentes, quel rôle joue-t-elle ?

Écartons tout chauvinisme indu et tentons sereinement d'examiner ce statut spécial qu'elle détient dans l'histoire de Malte. Nous pourrions passer rapidement sur l'occupation normande qui dura pendant un siècle, de 1090 à 1194, et qui y réintroduisit le catholicisme, ce qui est une contribution essentielle pour la société d'aujourd'hui. Nous pourrions même oublier les Angevins dont le règne – entre 1266 et 1282 – fut bref et fort peu significatif. Enfin, est-il décent d'évoquer l'impact de la rapide passade napoléonienne à Malte durant deux malheureuses années (1798-1800), aventure qui, on le sait, s'est fort mal terminée ?

Non, la France à Malte, c'est d'abord et avant tout la domination sans partage de l'ordre de Saint-Jean de 1530 à 1798 – c'est-à-dire pendant 268 années – et avec elle une certaine francité qui s'enracine sur l'archipel et dans les esprits. Cette présence française par délégation de l'entité internationale qu'est l'ordre de Saint-Jean est par elle-même exceptionnelle et a pu paraître parfois contestable. Mais elle s'appuie sur des faits et des chiffres.

Quelques indices tout d'abord. Sur les quelque 70 grands maîtres qui régnèrent sur l'Ordre depuis son origine à 1798, 42 sont français et non des moindres, nous l'avons vu avec L'Isle-Adam, La Valette, Sengle, Rohan, etc. L'époque maltaise de l'Ordre vit se succéder 28 moines-souverains dont 12 Français (et 9 Espagnols). Trois de ces personnages ont donné leur patronyme à une ville : la capitale comme on le sait, Senglea doit son nom à son concepteur Claude de La Sengle qui régna de 1553 à 1557, et Paola en reconnaissance à Antoine de Paule (1623-1636). Un autre, Verdalle, nous laisse le palais de Verdalla aujourd'hui résidence d'été du président de la République. Un pays minuscule dont trois villes importantes portent le nom d'un Français, est-ce exagéré ?

Créatrice et âme de l'Ordre, la France maintient sa prééminence en entretenant trois langues parmi les huit qui perdurent jusqu'à la fin et qui statutairement et protocolairement sont les premières. Et le pourcentage de chevaliers français est significatif : à la veille de la Révolution française, 400 sur les 600 sont français. Par voie de conséquence, les postes de responsabilité dans l'administration maltaise sont souvent aux mains des Français en plus de ceux qui reviennent automatiquement aux baillis piliers des trois langues en question.

On pourrait rétorquer que la domination d'un clan, fût-il prestigieux, ne fait pas le printemps et que le nombre et la qualité des Français à la tête de l'État ne peuvent préjuger de l'influence profonde de leur pays d'origine sur le substrat de l'archipel. Certes, mais il faut se souvenir que dès le début du XVIIIe siècle, la France considère la Méditerranée comme sa mer intérieure alors que l'Angleterre s'intéresse à l'Atlantique et l'Espagne à l'Amérique. Il convient aussi d'étudier les rapports étroits et directs que Versailles et Paris conservent avec Malte durant cette longue période, qui incite même Louis XV à décréter en 1765 que « tous les habitants des îles sous la domination de l'ordre de Malte seront reconnus sujets du royaume de France qu'ils veuillent s'installer, acquérir, vendre ou louer n'importe quelle propriété ou la transmettre par testament ou de vivo [1] ». Les seuls Maltais exclus de cet arrangement sont ceux qui auraient pris les armes en mer ou sur terre contre la France, ce qui n'est que justice.

Quelle est la raison qui a poussé le roi bien-aimé à prendre une si inhabituelle décision que personne jusqu'à ce jour n'a abrogée ?

Tout d'abord, on invoque la liberté d'installation dont jouissent les Français à Malte où ils bénéficient des mêmes droits que

---

1. Notons que, coïncidence ou non, cet acte royal est signé deux cents ans après la victoire du Grand Siège.

les natifs des lieux. La disponibilité de ces bons marins pour s'engager tant sur les navires marchands que sur les bateaux de guerre royaux afin de suppléer le manque flagrant d'enthousiasme et de pratique des Français du continent est certainement un autre motif. Enfin des auteurs citent la reconnaissance du roi envers ceux qui « n'interfèrent en rien en Europe dans les guerres entre princes et se consacrent uniquement à la défense de la chrétienté[1] ».

Il nous faut admettre que la France découvre à cette époque sa vocation méditerranéenne, une fois de plus par ricochet, lorsqu'elle se rend compte que l'empire des Habsbourg s'étend dans les Balkans, que la Russie rêve de plus en plus de ces fameuses mers chaudes et que, cerise amère sur le gâteau, l'Angleterre vient même chasser sur ces océans lointains pour elle. Louis XIV avait déjà envoyé l'amiral Duquesne défaire la flotte hollando-espagnole et avait fait attaquer Alger en 1682. Spectateur non sectaire, l'Ordre se contente de compter les points tout en s'efforçant de ne pas susciter l'hostilité de l'une ou l'autre des grandes puissances dont les agissements en Méditerranée le marginalisent davantage chaque année. Il poursuit vaille que vaille sa chasse aux corsaires barbaresques, et sert donc de gendarme sur les routes maritimes fréquentées par les navires marchands français.

Car, il n'y a pas que la marine royale qui s'intéresse stratégiquement à Malte : l'île est un entrepôt pour les commerçants français qui, à partir de cette plate-forme, revendent en Méditerranée centrale, de même qu'une escale commerciale importante vers l'Orient. Les négociants du royaume obtiennent d'ailleurs vers 1790 le monopole du commerce des produits manufacturés vers l'archipel.

---

1. Un mauvais esprit pourrait rapprocher ce décret de ceux pris ultérieurement, d'abord par l'Italie en 1889 qui accorde aux Maltais (de même qu'aux Corses et aux Niçois) les mêmes droits qu'à ses propres nationaux et ensuite par Londres qui donne la nationalité britannique à ces mêmes Maltais.

Toute décadente qu'elle fût en train de devenir à la fin du XVIIIe siècle, l'île forteresse de Malte restait incontournable tant par son inexpugnabilité que par sa position centrale en Méditerranée.

À Paris, avec le grand prieuré du Temple[1], Malte entretient un réseau d'influence plus que puissant et prestigieux. Très importante source de revenus, le Temple devient dès le XVIe siècle l'apanage des bâtards de la famille royale, fait contre lequel les grands maîtres successifs se gardent bien de protester. S'y succèdent Henri d'Angoulême fils d'Henri II, Charles de Valois fils de Charles X, Alexandre de Vendôme fils d'Henri IV, puis son fils Philippe de Vendôme. Le Régent en devient le titulaire en 1719 qui ouvre la lignée des princes de sang toujours bien disposés à l'égard de l'Ordre.

Cette entreprise de lobbying avant la lettre fonctionne dans les deux sens, chacune des parties s'ingéniant à rendre à l'autre des services qui provoquent, en retour, des contreparties non négligeables.

À côté de ce centre occulte et vital, une ambassade officielle n'est pas moins agissante. Dès 1645 sont nommées auprès du Roi-Soleil des personnalités de poids qui entretiennent des relations très étroites et très suivies entre les deux pays.

À l'évidence entre deux souverains, il existe parfois quelques frictions, mais elles sont peu durables. Il est probable que le seul sujet pérenne d'irritation provient des activités de pirates des Barbaresques contre des navires français. Paris s'agace de la passivité de l'Ordre, lui reprochant de ne pas exercer une police maritime plus performante dans les eaux de la Méditerranée occidentale... Enfin, répétons-le, les activités très mercantiles et trop éclectiques des corsaires maltais au service de l'Ordre ne sont pas du goût des Français qui souvent protestent et obtiennent gain de cause.

Les trois langues françaises fournissent donc au minimum

---

1. Voir chapitre « Le bouclier de la chrétienté ».

les deux tiers de l'effectif des chevaliers. Et, par incidence, c'est aussi de France que proviennent près de la moitié des revenus grâce aux 250 commanderies qu'elle abrite sur un total d'environ 650.

Au plan financier, Malte dépend massivement de ces prébendes, mais également des substantiels droits de passage[1] payés par les familles des novices et les héritages de ces chevaliers[2]. Les fortunes privées que les chevaliers fortunés offrent à l'Ordre (comme Chambray, Verdalle ou Wignacourt entre autres) s'ajoutent et sont consacrées à des fins particulières (l'aqueduc, la bibliothèque, le fort dominant Mgarr à Gozo par exemple).

On peut affirmer – au risque évident de soulever quelque polémique – qu'une partie significative du patrimoine maltais a été construite grâce à l'apport d'argent français.

Certes, il n'est pas confortable d'être soumis à ce point aux volontés, intérêts ou foucades d'un autre souverain, car Versailles peut exercer des pressions considérables sur Malte sans crainte de se voir refuser une faveur. Les exemples abondent et, parmi eux, le plus méconnu est l'intention de Malte d'acheter la Corse en 1763 : la transaction était quasiment conclue quand Paris mit son veto et l'acquit pour elle...

Malte ne peut nouer aucune alliance qui déplairait à la France et doit marcher sur des œufs lorsque celle-ci est en guerre avec une nation européenne qui entretient des rapports cordiaux avec l'Ordre.

L'autre risque, considérable, est la fermeture de la pompe à finances, robinet capricieux s'il en est.

Il ne faudrait pas penser que les relations entre la France et Malte sont excessivement fondées sur cette dépendance poli-

---

1. Impôt payé à l'Ordre par les familles des postulants chevaliers calculé en fonction de la fortune de celles-ci.
2. Tous les chevaliers sont traités de la même façon quelles que soient leurs origines, bien sûr. Mais la proportion des Français accroît les sommes reçues d'eux.

tique et financière. Elles sont confiantes et utilitaires comme le prouvent les grands et les petits services que se rendent mutuellement les deux complices.

Malheureusement plus visible et remémoré que les bienfaits de l'Ordre, le bref séjour des troupes napoléoniennes a laissé des marques profondes et douloureuses à Malte. Tout autant que ses prédécesseurs, le Directoire, inspiré par Bonaparte, a parfaitement perçu l'intérêt stratégique et commercial de la position de Malte, et surtout les graves inconvénients de laisser tomber l'archipel dans des mains hostiles. Mais il n'a pas su se donner les moyens de sa perspicacité.

Pour le Maltais d'aujourd'hui et d'hier, Napoléon est le fieffé chef d'une bande de voleurs qui a pillé sans vergogne les trésors leur appartenant, a affiché un anticléricalisme primaire au point de fusiller des prêtres en soutane, et a désiré soumettre et opprimer le peuple contre sa volonté. Estimant avoir trouvé à Malte la vache à lait idéale pour éponger ses faramineux besoins, il l'a imprudemment traitée au point de l'assécher. Pas un Maltais ne parvient à intégrer le fait que succédant à un régime (l'ordre de Saint-Jean), la République française détenait un droit certain sur les possessions dudit gouvernement... Pas un Maltais n'exonère les autorités françaises de leurs pillages en avançant que soumises à un blocus quasi imperméable, elles devaient faire feu de tout bois pour tenir... Rares sont les Maltais qui mettent en valeur l'impulsion imprimée par Bonaparte à la société, l'évolution capitale qu'il a lancée dans le domaine du droit et, finalement, le bond qu'il a imposé au concept de nation.

Pensée unique entêtante, attisée par les Anglais, la négation de tout élément favorable dans le passage de Napoléon est pour la majorité des Maltais sans appel. Elle est fondée sur les faits, certes (pillages, brutalités, exécutions), mais aussi sur une grande déception. Fatiguée de la corruption et de la conduite des chevaliers, irritée et humiliée par le mépris dont elle était l'objet, inquiète de la récession économique qui s'est amorcée dès 1789, l'intelligentsia maltaise a accueilli les Français comme des libérateurs. Et peu avaient pleuré sur la défaite et le départ d'un Ordre ayant perdu à leurs yeux légitimité et prestige.

Les premières semaines de la présence française furent donc presque une idylle, mais rapidement hélas, les Maltais avaient dû déchanter. Révulsés de voir les Français se considérer trop ouvertement comme chez eux, travaillés au corps par une Église prête à tout pour conserver son influence, manipulés de l'extérieur par les ennemis de la République trop triomphante, ils s'étaient soulevés.

On peut affirmer que ces deux années difficiles ont éliminé, moins sur le terrain que dans les cœurs, tout ce que la France avait apporté à Malte pendant les siècles précédents. Rares sont ceux qui font l'effort d'imaginer ce que serait leur pays si ce régime autocratique inspiré par les Français n'avait pas séjourné si longtemps chez eux.

Malgré cette fin ignominieuse, Malte est profondément changée. Le choc des idées novatrices de la Révolution française a rafraîchi la donne, et fait entrer l'air du grand large dans une société étriquée et décadente. Le *statu quo* qui a perduré pendant deux siècles et demi a volé en éclats. Malgré des difficultés inhérentes à chaque virage de l'histoire, Malte est sur la voie de la modernité.

Durant leur longue occupation de l'archipel, les Britanniques ont, de leur côté, fait en sorte que les souvenirs visibles de l'Ordre s'effacent progressivement comme s'ils redoutaient que les Maltais n'en manifestent un jour la nostalgie : l'aqueduc de Wignacourt a en grande partie été démoli, les fontaines rasées, la chapelle du palais des grands maîtres a disparu. Avec l'éradication de ces marques concrètes des chevaliers, c'est aussi la France qui est gommée.

Ceci pour l'influence politique. Mais *quid* de l'impact de la culture, des arts, de la littérature, du sport enfin ?

Nous avons vu (aux chapitres XV et XVIII) comment la musique et les opéras français étaient joués à Malte au théâtre Manoel et comment Favray était devenu un des peintres favoris des Maltais. Mais nous avons aussi noté que les Italiens furent de beaucoup plus influents tant dans l'architecture militaire et civile que dans la peinture et la musique.

Et qu'en est-il des rapports entre la France et les Maltais « de base » ? On ne saurait le dire avec précision mais on peut aisément supposer que les classes moyennes et ouvrières ont presque tout ignoré des spécificités et des apports de notre pays à leur existence quotidienne. En matière de sport, le football sport roi dans l'archipel comme souvent ailleurs, rejette proprement les équipes françaises dans les oubliettes alors que des passions immenses sont suscitées par les italiennes et les anglaises. Et aujourd'hui encore, la perception que beaucoup de ces Maltais ont de la France se résume au sanctuaire de Lourdes et aux sites récréatifs de Walt Disney à Marne-la-Vallée...

Malte donc, en 1798, est française politiquement, davantage italienne culturellement et... maltaise populairement.

Que reste-t-il de cet héritage de nos jours ?

*

Pendant les décennies qui suivent la chute de l'Ordre en 1798, la France est oubliée, vilipendée tant par les Maltais qui lui reprochent les rapines des soldats napoléoniens que par les Anglais qui n'appliquent pas le traité d'Amiens de 1802. Refusant de rendre à l'Ordre un bastion sur lequel ils comptent s'appuyer pour parfaire leur occupation de cette zone, nos voisins d'outre-Manche s'y installent pour longtemps.

Mais la prospérité qui s'éloigne dès lors que l'Ordre n'injecte plus massivement les capitaux venus d'ailleurs jette des milliers de Maltais hors de leur pays. Devant émigrer pour manger, la plupart choisissent des terres proches sous la domination française, l'Algérie et la Tunisie. Des études récentes donnent des chiffres impressionnants. Hautement significatif au regard de la population d'alors, ce sont 16 000 Maltais (en partie Gozitans d'ailleurs) qui ont émigré en Algérie avant 1850, formant par exemple 33 % de la population d'origine étrangère dans la région de Constantine et de Bône (Annaba)[1] où, logiquement, ils s'installent en priorité.

La Tunisie, protectorat français depuis le traité du Bardo de 1881, fait vite concurrence car ils y dépassent le chiffre de 11 000[2]. Prolifiques, très appréciés dans les métiers manuels que, du moins à l'origine, ils privilégient, ces citoyens « britanniques » d'Algérie ne constituent certes numériquement que la troisième émigration[3] en importance, mais représentent un apport capital à la population européenne de ces territoires. Sans renier leur origine et sans couper les ponts avec leurs îles natales où, pour une partie notable d'entre eux, ils retournent convoler, ils deviennent rapidement et sans état d'âme plus français que les Français de souche.

Primat d'Afrique, le cardinal Lavigerie reconnaît très vite la vitalité religieuse des Maltais ainsi que l'abondance du clergé de cette origine. En 1882, sa visite à La Valette provoque presque une émeute tant est immense la foule venue l'accueillir et lui faire fête.

La grande majorité des Maltais d'Afrique du Nord est malheureusement obligée de découvrir la France métropolitaine en 1954 puis en 1962 au fil des abandons et des bourrasques postcoloniales et s'y installe au même titre que les pieds-noirs dont elle partage le sort et les souffrances. Depuis, parfaitement intégrée, sans former encore un lobby et une caisse de résonance, elle est, grâce aux personnalités qui émergent de-ci de-là, en voie de s'unir et compter politiquement dans notre pays.

---

1. D'où proviennent une partie des noms fort communs de Tabone, Tabona, le *Ta* signifiant « de ».
2. À titre de comparaison, ces autres chiffres : vers l'Égypte 7 000, la Libye 3 000, la Turquie 4 500, Gibraltar 1 000... et Marseille 500.
3. En 1901 en Algérie après les Espagnols (155 000) et les Italiens (39 000).

Les écrivains français

A contrario, Malte semble avoir exercé sur l'élite française du XVIIIe et du XIXe siècle une certaine fascination. L'Ordre a et reste l'objet d'études, d'ouvrages savants ou vulgarisateurs. Mais les caractéristiques attirantes de l'archipel ne sont pas en reste.

On ne peut passer sous silence l'excellent ouvrage du chevalier Pierre de Boisgelin qui, en 1804, publie *Malte ancien et moderne*, livre qui est la référence de nombreux auteurs postérieurs. Il est en effet inconnu du grand public. Mais il aurait été précédé par Bernardin de Saint-Pierre qui, avant d'écrire *Paul et Virginie*[1] en 1787, vient traîner son ambition, son inconstance et ses chimères à Malte où il accumule les échecs.

Alphonse de Lamartine, quant à lui, est en route pour la Palestine quand il est obligé, en juillet 1832, de stationner plusieurs jours en quarantaine à La Valette. Il rapporte ce séjour à Malte dans *Souvenirs* où il décrit surtout les habitants de l'île.

Gérard de Nerval embarque sur le même navire que lui et, dans son *Voyage en Orient*, décrit les émotions ressenties devant les beautés que lui offre Malte.

Alfred de Vigny revendique des ancêtres membres de l'Ordre, et met en scène dans *La Canne de jonc* le capitaine Renaud accompagnant Bonaparte lors de la conquête de Malte. Alexandre Dumas père fait souvent référence à Malte dans son roman *Le Speronare*. En 1860, il rejoint Garibaldi avec lequel il passe quelques jours à Malte.

C'est dans un esprit identique à celui de Byron, son prédécesseur dans l'archipel, que Prosper Mérimée entreprend aussi en 1841 un voyage en Orient qui le mène à Malte. Il subit également la quarantaine et s'intéresse surtout aux temples puniques, et aux ruines grecques et romaines.

En 1852 Théophile Gautier approche Malte selon ses

---

1. Virginie a pour modèle Mme Poivre, ancêtre présumée des Poivre d'Arvor que Bernardin courtisa en vain à l'île Maurice en 1771.

propres critères, c'est-à-dire les humains qui la peuplent. Il nous laisse des descriptions précises des vêtures, de l'atmosphère, des couleurs et imagine la vie des habitants dans les murailles de La Valette au temps des chevaliers dans son ouvrage *Constantinople*. Flaubert, lui, ne parvient à quitter l'emprise maternelle en 1849 pour Malte qu'en prétextant devoir trouver la chaleur que lui recommande son médecin. Même si, apparemment, il n'a rien laissé par écrit de cette expérience, ses thuriféraires affirment qu'elle a contribué à l'évolution de son romantisme vers plus de réalisme.

Enfin (mais la liste n'est pas exhaustive), Jules Verne qui fait escale en 1878 à La Valette sur son yacht le *Saint-Michel* s'étend sur Malte dans *Mathias Sandorf*. Il relate, plutôt négativement d'ailleurs, les hordes de gens misérables qui assaillent son héros de même que le sordide aspect des taudis de la ville.

Plus récemment, André Maurois publie en 1935 un livre de voyage sur Malte dans la série « Les grandes escales ». Il y décrit avec affection l'exotisme de l'activité populaire de La Valette, s'étonnant de la quantité de chèvres qu'il rencontre dans les rues.

Malte et la marine française

Port et escale reconnue en Méditerranée, Malte n'a pu laisser indifférents les divers amiraux et ministres de la Marine française. Tout d'abord, au XVIIe siècle, celle-ci découvre le parti à tirer d'une flotte aguerrie et capable de vaincre dans la plupart de ses combats navals. La déplorable habitude de nommer aux commandements importants des favoris ou des princes inaptes à la navigation comme au combat avait presque anéanti la vocation maritime de la France. Colbert réagit enfin en 1664 en allant chercher des marins hollandais puis maltais, tel le chevalier Paul[1].

---

1. Paul de Saumure, dit le Chevalier, né entre Marseille et le Château d'If, d'une mère blanchisseuse.

Celui-ci a une histoire dont on distingue mal les contours véridiques des légendaires : né en 1597 paraît-il, à bord d'un bateau pris dans la tempête, d'une belle Maltaise engrossée par un marquis français, nommé plus tard chevalier de justice, il est de peu sauvé du gibet après avoir tué un adversaire de duel. Faisant l'aller et retour entre les flottes française et maltaise, il se révèle si valeureux à la mer qu'aucune de ses patries ne veut le lâcher. Il commande la marine de l'Ordre tout en étant lieutenant du grand amiral de France et laisse une réputation de marin exceptionnel quand il meurt en 1667 après avoir gravement étrillé les ennemis de sa double loyauté.

La liste des galères de France établie en 1692 commandées par des chevaliers de Malte ne compte pas moins de 40 navires. Malte sert de vivier maritime à la France, voire d'école navale pour ses équipages.

Le plus connu de ces marins est bien sûr le bailli Pierre André de Suffren né en 1729, prisonnier des Anglais à 14 ans, chevalier dès 1749, commandant une galère sous les ordres du comte de Grasse, autre amiral français et maltais – et alternant lui aussi les commandements dans les deux marines jusqu'à la guerre d'Indépendance des États-Unis puis la campagne des Indes. Général des galères de Malte, commandant la division des vaisseaux du roi de France aux Indes orientales, Suffren termine sa brillante et éclectique carrière comme ambassadeur de Malte à Paris en 1786 et meurt avant de connaître la Révolution[1]. Les Anglais le qualifiaient d'« Amiral Satan[2] », et sur sa tombe, dans l'église Sainte-Marie-du-Temple à Paris, son épitaphe se lit ainsi : « Seul Achille fut capable de franchir les murs de Troie. Seul Suffren put vaincre les flottes britanniques. »

École navale française de fait où allait se former la fleur de

---

1. Contrairement à ce que l'on croit, Suffren n'est pas mort dans son lit. Obèse et donc peu mobile, il est bêtement tué lors d'un duel avec le duc de Mirepoix.
2. Selon le titre d'un livre que lui consacre Roderick Cavaliero.

nos officiers à qui on doit l'essentiel des conquêtes coloniales du XVIIIe siècle et les aventureuses expéditions lointaines, l'Ordre peut se réclamer des plus grands noms de marins français comme Tourville, de Grasse, Boufflers, d'Estrées qui n'évoquent probablement plus grand-chose auprès des écoliers français.

Entente cordiale ou non, la marine française continue toujours à beaucoup apprécier l'étape de La Valette qui reçut de nouveau des visites royales à la Restauration. Pendant la guerre de Crimée, le grand port fut un havre pour les navires français. Puis le conflit de 1914 où Malte est épargnée renforce les liens entre les flottes française et anglaise et nombreux sont les marins gaulois qui vinrent se reposer ou se faire soigner à Malte. Et dans la petite église Santa-Barbara[1] dans l'actuelle Republic street à La Valette, une plaque remémore la coopération franco-britannique de cette période.

À présent, les escales françaises sont très fréquentes bien que la déontologie nationale maltaise interdise celles des navires à propulsion nucléaire ou armés d'engins atomiques, ce qui exclut l'ensemble de la flotte sous-marine de plusieurs pays dont le nôtre.

*

Aujourd'hui comme hier, la France est présente à Malte et se veut incontournable pour accompagner l'adhésion et l'existence de ce pays au sein de l'Union européenne[2], un ambitieux dessein qui représente le plus grand défi que se lancent à eux-mêmes les Maltais depuis 1800.

Seuls deux pavillons étrangers flottent dans l'atmosphère

---

1. Par ailleurs lieu où est offerte chaque dimanche une messe en français.
2. Que, conjointement avec neuf autres pays d'Europe centrale, Malte a intégrée le 1er mai 2004. Les négociations avec la Commission furent particulièrement difficiles, et Malte les emporta sur presque toute la ligne.

vibrante quoique surannée de La Valette, capitale splendide de l'État maltais : celui de l'ordre de Saint-Jean et... celui de la France, unis une fois encore par l'histoire sur leurs ambassades respectives [1]. Et, sur des plaques scellées sur les murs de cette magnifique demeure patricienne, le visiteur peut lire non seulement la liste des grands maîtres français ayant régné sur l'Ordre, mais la lignée des représentants de la France durant les phases variées et riches de l'histoire de Malte.

Certains redoutent qu'un alignement trop systématique des positions maltaises sur les thèses libérales de Londres, qui ne veulent faire de l'UE qu'un grand marché sans la vision politique de créer une nouvelle superpuissance dans le monde, ne sépare encore davantage Malte de Paris. Ce n'est pas impossible en effet, surtout si on ne montre pas au pays le plus petit de la nouvelle Union européenne le minimum de considération qu'il attend des grands. Mais, quoi qu'en disent les Cassandre, même encore peu aimée et méconnue, la France reste un pôle incontournable en Europe et, pragmatiques, les Maltais le savent. Regagner leur confiance et leur appui lors des votes vitaux à Bruxelles est loin d'appartenir au domaine de l'impossible, de même que leur faire comprendre le bien-fondé des positions de notre pays sur les enjeux internationaux en faveur du reste du monde, y compris les nations moyennes ou petites.

---

1. Étrangement en effet, les douze autres ambassades représentant leur pays près l'État maltais sont sises dans d'autres villes de l'archipel. Pour être encore plus précis, le drapeau de la Chine flotte aussi à La Valette. Mais sur le centre culturel car l'ambassade est à Saint-Julian's...

CHAPITRE XXV

LE CRÉPUSCULE DE L'ORDRE

Il en est de toute entreprise humaine, empires et individus, régimes et édifices comme des êtres vivants : ils naissent, prospèrent, s'installent puis déclinent et meurent. Le séisme qui frappe l'ordre de Saint-Jean en juin 1798 ne signe certes pas une disparition définitive et radicale comme en ont connu bien d'autres institutions et organisations. Mais cette date marque pour Malte la fin d'une époque et le début d'une ère bien différente dans sa nature de ce que furent les ruptures consécutives aux défaites de Jérusalem puis de Rhodes.

Les vibrations de la Révolution française ébranlent dangereusement le couvent dès 1789. Les cerveaux des chevaliers sont en ébullition et l'esprit de contestation, d'ailleurs jamais absent depuis l'après Grand Siège, atteint son paroxysme. Car les idéaux révolutionnaires tombent dans un terreau plus que favorable et produisent d'autres effets bien plus pernicieux pour l'Ordre que les maux d'argent. En « intoxiquant » des dizaines de chevaliers de ses principes antimonarchiques et areligieux, ils le minent fondamentalement, le privant de la pierre angulaire de sa vocation. Français ou non, tous nobles cependant, ces chevaliers réagissent avec tout l'intérêt que des jeunes gens peuvent manifester pour des concepts nouveaux qui remettent en question un ordre établi qui leur était pourtant extrêmement favorable.

Déjà dans le fruit depuis quelques décennies, le ver de la remise en cause de faits accomplis provoque donc un pourrissement idéologique durable et pernicieux. Quasiment décomposé de l'intérieur et privé d'une source substantielle[1] de ses revenus (plus d'un cinquième de son budget de l'époque), l'Ordre s'effondre donc, moins de dix ans après le séisme révolutionnaire.

Il se délite, la discipline se relâche, la désunion et les rivalités entre partisans des idées nouvelles et opposants s'exaspèrent d'autant que la répartition par langues, jadis une trouvaille, se révèle maintenant nocive. D'une part, elle renforce le sentiment d'allégeance et d'appartenance à une nation autre que l'Ordre, de l'autre, elle incite les souverains étrangers à manipuler « leurs » chevaliers tout comme leurs propres nationaux[2].

L'absence d'évolutions internes pour se mettre en adéquation avec l'esprit dominant de l'époque, l'incapacité des grands maîtres à fixer des perspectives claires estompent les idéaux. Le rôle de bouclier de la chrétienté se brouille car, on l'a vu, le péril ottoman a largement reculé et les pirates barbaresques sont trop peu nombreux pour faire rêver à des opportunités de gloire et d'enrichissement. Les caravanes sont donc plus rares et infructueuses et, de toute façon, la flotte est marginalisée en comparaison de ces énormes vaisseaux de ligne dont se dotent les grandes puissances...

Les jeunes chevaliers souffrent de devenir davantage hospitaliers que militaires, alors que le métier d'infirmier est nettement moins valorisant et brillant que celui d'officier... et leurs difficultés financières aggravent ce processus car si l'Ordre est en faillite, individuellement les chevaliers ne reçoivent plus, qui

---

1. Aux commanderies et prieurés de France, s'ajoutent en effet ceux sis dans les régions conquises par la Révolution et notamment en Italie et en Allemagne.
2. On retrouve cette tentative chez Israël qui tente, souvent avec succès, d'instrumentaliser les juifs des autres pays en faveur de ses positions.

les aides de leurs familles, qui les revenus de leurs terres. Il est commun que la pénurie engendre des mécontentements collectifs ou personnels, et, privés de ressources, voire parfois soumis à la faim, les jeunes chevaliers s'agitent et grommellent contre qui ? leurs chefs bien sûr... L'autorité du grand maître s'érode, même si, généreusement, Rohan met sa cassette privée au service des plus démunis de ses subordonnés.

Il y a d'abord la convocation des États généraux car en mai 1789, Louis XVI se décide enfin à faire ce geste. Deuxième ordre en droit après le clergé, la noblesse doit débattre avec le tiers état, auquel le roi, pusillanime, vient d'accorder de doubler sa représentation. Se sentant en danger d'être mis en minorité au sein d'une immense assemblée, les nobles, en France, battent frénétiquement le rappel des leurs, insistant auprès de leurs confrères « maltais ».

Bien que Français et aristocrate lui-même, le grand maître de Rohan interdit aux chevaliers français de participer à cette réunion car il considère ses hommes comme des Maltais au premier chef et des Français en second lieu. Ceux-ci désobéissent ouvertement et, s'estimant citoyens du royaume de France, s'y rendent en masse, tant ceux qui résident déjà dans leur pays que ceux qui quittent l'archipel pour ce faire en dépit des instructions.

L'Assemblée constituante française voit en l'Ordre non pas un État étranger souverain dont elle devrait respecter les possessions sises sur son territoire, mais une simple branche de l'Église universelle dont elle conteste la mauvaise influence et dont elle vient de décréter la confiscation des biens.

L'abolition des privilèges en août 1789 puis la suppression des ordres de chevalerie en juillet 1791 parachèvent le démantèlement de l'ordre régalien ancien. Pour Malte, c'est la catastrophe car disparaissent en même temps ses deux fondements, la noblesse et la religion, sans évoquer le pays qui a toujours été sa référence, la France.

Simultanément, l'intérêt pour Malte s'accroît, dû bien sûr à cette position géographique incomparable. En ces temps troublés, les révolutionnaires, Convention puis Directoire, se prennent à rêver de tenir l'île forteresse. Ils ne peuvent accepter de la voir tomber dans des mains hostiles qui seraient indélogeables. Ils sont en guerre contre toute l'Europe liguée contre le danger redoutable de la contagion révolutionnaire. Il ne s'agit pas simplement des prétentions espagnoles ou anglaises, traditionnelles et toujours redoutables. La Russie de Pierre le Grand qui vient de se débarrasser du rival turc et l'Autriche qui s'est étendue dans les Balkans lorgnent également sur le minuscule archipel qui devient une proie enviée.

Il faut donc vite sécuriser ce brûlot potentiel et c'est un glorieux sous-produit de cette Révolution, le général Bonaparte, qui porte en juin 1798 l'estocade finale à cet anachronisme vivant qu'est l'ordre de Saint-Jean, et qui signe sa disparition au moins sous la forme jusque-là reconnue.

Bonaparte ne réside dans l'île que six jours, pressé qu'il est de poursuivre son rêve oriental en conquérant l'Égypte et d'y bâtir sa gloire. Il entraîne avec lui un millier de Maltais engagés dans son armée et laisse derrière lui 4 000 hommes de troupe que commande le général Vaubois. Un ex-chevalier, Bosredon de Ransijat, dirige un conseil de gouvernement constitué de Maltais acquis au mouvement révolutionnaire.

En quelques jours, toute la société est sens dessus dessous, à un point tel que, traumatisée par l'ampleur du bouleversement et par la maladresse criminelle de certains soldats, la population réagit et prend les armes contre la garnison française sous la direction d'un clergé hostile aux idéaux anticléricaux de la Révolution.

Assiégés dans leurs forteresses, abandonnés par Paris et par Bonaparte qui ont d'autres soucis en tête, harcelés par les Maltais révoltés, affamés par l'implacable blocus des flottes anglaise et portugaise commandées par Nelson, les Français capitulent après une remarquable résistance de deux années éprouvantes. Les Anglais reconnaissent que la faim a eu raison de leurs ennemis bien davantage que les actions menées par eux ou les rebelles.

Entre-temps l'Ordre connaît sa troisième errance. La plus grave et qui produit les conséquences les plus tragiques qui ont été décrites plus haut[1].

Orphelins, «libérés» de leurs tuteurs parfois encombrants et autoritaires, comment réagissent les Maltais ? Déjà divisée en multiples fractions, la population avait petit à petit éprouvé une allergie certaine à l'emprise de l'Ordre sur sa vie. Entre 1760 et 1775, au moins six sérieuses révoltes avaient flambé dont plusieurs générées par l'interdiction faite aux manants de chasser alors que les paysans se plaignaient des destructions de leurs récoltes par un trop abondant gibier.

Déjà amorcée sous Pinto (1741-1773), la mauvaise humeur s'était accrue avec l'avènement de son successeur, le très maladroit Ximenes de Texada qui, heureusement, ne règne que deux ans de 1773 à 1775. Pour remédier aux pénuries alimentaires chroniques, ce nouveau grand maître qui hérite de caisses vides serre la vis et continue à interdire la chasse au lapin qui fournit une nourriture peu onéreuse aux pauvres. C'est lui qui doit faire face en 1775 à la «Révolution des prêtres», fomentée par des clercs locaux qui occupent le fort Saint-Elme et, ôtant l'emblème de l'Ordre pour le fouler aux pieds, hissent le drapeau national maltais à la place. L'hostilité envers les chevaliers est si intense qu'ils n'osent même plus sortir de La Valette de crainte de se voir trucider par les paysans en colère...

La succession malheureuse de grands maîtres dotés d'une aura moins imposante et en tout cas insuffisante pour des périodes troublées – Ximenes le détesté, Rohan trop bon et indécis pour être pleinement respecté, puis le désastreux Hompesch[2] – accentue le malaise et le mépris du peuple maltais à l'égard de ses chefs.

---

1. Voir chapitre XIX, « L'ordre de Saint-Jean et les "parallèles" ».
2. C'est en tout cas l'image dont on l'a affublé. Des études récentes modulent quelque peu cette image de prince lamentable qui méritait cette fin ignoble.

Le traité d'Amiens

Alors que le tsar de Russie est le grand maître de l'Ordre, Anglais et Français ressentent le besoin de mettre un terme aux guerres qui les opposent et s'assoient à la table de discussion. Il s'agit de régler plusieurs sources de différends et, évidemment, celui constitué par l'épine maltaise dans les souliers gaulois et britanniques. Signé le 27 mars 1802, le texte de l'accord stipule dans son article 5 que l'archipel maltais doit être rendu à l'Ordre, que les langues française et anglaise sont dissoutes, et que seront évacuées les forces britanniques pour être remplacées par des troupes maltaises et siciliennes.

Une langue maltaise est enfin créée dans l'Ordre.

Il convient de rappeler qu'au début de mars 1802 débarque à Londres une délégation maltaise, censée représenter le peuple avec la mission de supplier le roi de conserver Malte dans le giron anglais. S'il semble exact qu'après le départ des Français, peu de Maltais souhaitent voir revenir l'Ordre, il est aventureux d'affirmer que le peuple dans son ensemble veut rester sous la domination anglaise. Il apparaît au contraire qu'une dépendance molle sous la souveraineté lointaine du royaume des Deux-Siciles est la formule qui emporte l'adhésion de la majorité.

Toujours est-il que les impérialismes napoléonien et britannique sont si antagonistes que le traité ne sera jamais appliqué, que la guerre reprend de plus belle à la fin de 1802 entre les nations européennes... et que Malte reste aux mains soignées de Sa Gracieuse Majesté qui craint trop Français et Russes et décide que, tout compte fait, il est bien plus profitable et confortable d'appliquer le bon principe J'y suis, j'y reste.

En 1814, le traité de Paris entérine cet état de fait et l'Anglais occupe pendant les 164 années qui suivent « le nombril de la mer » sans s'attirer l'hostilité trop marquée des nationalistes maltais. Au fond, si ceux-ci réalisent parfaitement qu'ils ne sont pas encore assez mûrs pour l'indépendance, il est erroné d'affirmer que les Maltais se sont offerts aux Anglais comme veulent bien l'affirmer certains d'entre eux.

De nombreux ouvrages sont consacrés à cette période après que Londres a, en 1813, donné à Malte le statut de colonie de la Couronne, qui traite tous les aspects de l'impact du système colonial britannique sur la société maltaise. Il est évident pour un observateur même passager ou superficiel que les Maltais sont aujourd'hui le résultat d'une originale combinaison entre le tempérament latin et les caractères anglo-saxons. Le système gouvernemental est la copie conforme de celui en vigueur à Londres, et l'État maltais est un fidèle et actif membre du Commonwealth.

Néanmoins, pour intéressant qu'il soit, ce chapitre de Malte et l'Angleterre ne sera pas traité dans ce livre.

ÉPILOGUE
MALTE AUJOURD'HUI

Avant que ne s'achève cette expédition au royaume du merveilleux et de l'exotique maltais au cours de laquelle maints sujets ont été occultés ou raccourcis, abordons certains traits originaux des Maltais que le visiteur pourrait me reprocher d'avoir omis.

On constate par exemple la présence de nombreux chevaux attelés à de minuscules sulkys évoluer entre camions et autobus sur les routes les plus fréquentées. L'amour des chevaux va au-delà des hobbies traditionnels car il court dans les veines des Maltais et se trouve largement déborder les clivages sociaux. La densité homme/cheval est probablement à Malte la plus forte au monde : selon les maréchaux-ferrants que j'ai fréquentés assidûment pendant mon séjour, on pourrait compter près de 10 000 chevaux dans l'archipel, ce qui, ramené à une population de près de 400 000, correspond à un cheval pour moins de 40 habitants[1]. Malte se vante d'avoir créé le premier club de polo en Europe (1868) où l'on joue, comme dans l'Himalaya patrie mère de ce noble sport, sur de la terre crue.

---

1. Ce qui, en France équivaudrait à une population de... 1,6 million de chevaux, celle existant en 1914.

Curieusement, le peuple maltais aime les chevaux pour eux-mêmes bien davantage que pour l'équitation qu'il pratique peu. Posséder un cheval chez soi représente un plaisir ineffable comme d'autres ont des canaris ou un caniche.

Les courses de trot qui ont lieu à Marsa ou à Gozo rassemblent plus que les seuls aficionados, et se déplacer autour des hippodromes devient impossible tant la foule est compacte. Les paris, légaux ou plus souvent clandestins, rythment la vie de la populace. Plus bon enfant, mais tout aussi suivies par une foule enthousiaste, sont les courses villageoises sur les routes souvent défoncées en sulky ou à cru. Et une fois l'an dans plusieurs localités rurales, on exhibe ses chevaux étrillés comme des stars et parés comme des arbres de Noël pour qu'ils reçoivent la bénédiction d'un chapelain dûment accrédité par l'évêque.

*

Une autre passion « étrange » des Maltais est la chasse. Ils la partagent certes avec de nombreux peuples, mais il apparaît là encore qu'ils font dans la démesure et poussent trop loin le bouchon : un million et demi d'oiseaux migrateurs sont tués ou capturés chaque année à Malte par plus de 15 000 chasseurs qui, à l'échelle du pays, s'agglutinent donc à 80 par kilomètre carré[1]... La technique de trappage est spectaculaire : deux fois par an, lors de deux migrations opposées, des filets fins et transparents sont étendus sur le sol nivelé manipulés par un système compliqué de poulies et de câbles. Attirés par les chants de dizaines d'oiseaux en cage et par des flaques d'eau, les migrateurs assoiffés et épuisés par leur longue route s'abattent sur le sol. Camouflés dans des cabanes de fortune qui mitent le paysage, les trappeurs replient les filets et les capturent vivants.

Comme en France, des chasseurs sont prêts à tous les excès pour s'adonner à leur passion. Il y a quelques années par

---

1. Contre 10 environ ailleurs en Europe.

exemple, des chasseurs d'oiseaux migrateurs que gênait une clôture érigée autour du temple de Hagar Qim ont abattu des pierres de cet antique temple...

L'enjeu est, comme en France, hautement politique et les négociateurs maltais pour l'entrée de leur pays dans l'UE ont dû composer avec ce lobby très puissant, violent et prêt à utiliser le chantage au vote.

*

On peut constater qu'en dépit de sa taille, Malte est un monde complexe et entremêlé dont l'exploration a déjà occupé nombre d'écrivains et de chercheurs comme en témoignent le nombre d'ouvrages qui lui ont été consacrés. Même réconcilié avec son prestigieux passé, Malte, comme on l'a discerné, n'est pas qu'un musée vivant, mais un pays qui continue à évoluer et dont les habitants ont fâcheusement le droit d'avoir d'autres priorités que celle de se comporter comme les jardiniers d'un parc qu'on ne visite que sur la pointe des pieds afin d'en protéger les essences rares.

Il n'est pas impossible que, prospérité venant trop vite pour être dûment digérée, et tourisme échevelé aidant[1], nous retrouvions un jour ces merveilles architecturales de tous les âges enserrées dans des lotissements de cabanons modernes qui les défigureront. En effet, que ce soit légitime ou non, les Maltais éprouvent un appétit de consommation identique voire supérieur à leurs voisins du Nord. Malheureusement cette aspiration semble incompatible avec la taille de leurs îles et la densité de la population.

Et ce n'est pas leur entrée récente dans l'Union européenne qui les fera changer de point de vue. Au contraire, semble-t-il.

Alors que faire ?

---

1. Malte reçoit bon an mal an 1,2 million de touristes par an. Plus de trois par habitant... C'est comme si, en France passaient 200 millions de visiteurs chaque année alors qu'il en vient déjà 75 millions...

Voisins, amis, visiteurs devraient peut-être se répandre en propos admiratifs mais craintifs quant au sort des beautés accumulées dans ces îles pour que, *in fine*, les Maltais comprennent qu'il existe des devoirs parfois contraignants de vivre au milieu de tels souvenirs de l'humanité. Les citadins de Rome et de Paris, les villageois de Dubrovnik et de Cordes le savent et s'en accommodent. Ils connaissent le prix à payer pour ce luxe de demeurer dans une ville-musée que leur envient leurs visiteurs.

Mais il faut aller vite car le processus d'urbanisation et le phénomène redoutable de « gratte-cielisation » sont rapides. Ils pourraient n'épargner que de très rares endroits.

Malte, et pas seulement la ville de La Valette, est un trésor qui appartient à l'humanité et c'est elle qui en est responsable devant les générations futures.

BIBLIOGRAPHIE

A.E. Abela, *A Nation's prisse*

Abela Joseph, *Malta and Gozo explained to extraterrestrials*

Ash Stepen, *The nobility of Malta*

Attard Joseph, *The Knights of Malta*

Attard Joseph, *The Battle of Malta*

Attard Robert, *Malta a collection of tales and narratives*

Azzopardi John, *Nicolo Isouard de Malte*

Bianchi Petra, *Encounters with Malta*

Blagg, Bonanno, *Lutrell, Excavations at Hal Millieri, Malta*

Blondy Alain, *Le commerce des oranges entre Malte et la France au XVIIIᵉ siècle*

Blondy Alain, *L'Ordre de Malte au XVIIIᵉ siècle*

Blouet Brian, *The story of Malta*

Boisgelin Louis, *Ancient and modern Malta*

Bonanno Anthony, *Roman Malta*

Bonanno Anthony, *Malte un paradis archéologique*

Bonanno Anthony, *Malta's changing role in Mediterranean cross currents*

Bonello Giovanni, *Histories of Malta* (4 vol.)

Borricand, *Histoire de l'Ordre de Malte*

Bradfort Ernle, *Mediterranean portrait of a sea*

Braudel Fernand, *La Méditerranée et le monde méditerranéen*

Buhagiar Mario, *The Iconography of the Maltese Islands 1400-1900*

Cachia Francis, *Mystery of the Vanished Paintings*
Camilleri George, *Folk tales from Gozo*
Cassar Carmel, *A concise History of Malta*
Cassar Carmel, *Malta's role in Mediterranean affairs*
Cassar Carmel, *Witchcraft, Sorcery, and its Inquisition*
Cassola Arnold, *The Literature of Malta*
Ciappara Frans, *The roman inquisition in enlighted Malta*
Cilia Daniel, *Legacy in stone*
Cini Charles, *Gozo the roots of an island*
Cini Charles, *Gozo, voyage dans le passé*
Clews Stanley, *Malta year book 1996-2001*
Clot andré, *Soliman le Magnifique*
Cremona J.J., *The Maltese Constitution and constitionnal History since 1813*
De Giorgio Roger, *A City by an Order*
De Luca Denis, *Mondion*
De Luca Denis, *Giovanni Battista Vertova*
De Luca Denis, *Mdina – A History of its urban space and architecture*
De Piro Nicholas, *Mdina the old capital city of Malta*
De Piro Nicholas, *The Sovereign Palaces of Malta*
De Piro Nicholas, *The temple of the knights of Malta*
De Piro Nicholas, *Valetta A city built for gentlemen*
De Soldanis, *Gozo, ancient and modern religious and profane*
Desportes Catherine, *Le Siège de Malte*
Donato Marc, *L'Émigration des Maltais en Algérie au XIXe siècle*
Durand Loup, *Pirates et Barbaresques en Méditerranée*
Elliot Peter, *A Naval History of Malta*
Ellul Michael, *History on Marble*
Ellul Michael, *Malta 360°*
Engel Claire Éliane, *Les Chevaliers de Malte*
Engel Claire Éliane, *Le Grand Siège*
Engel Claire Éliane, *Histoire de l'ordre de Malte*
Engel Claire Éliane, *L'Ordre de Malte en Méditérranée*
Evans J. D., *Malta*
Freller Thomas, *The Anglo Bavarian Langue of the Order of Malta*
Freller Thomas, *Cagliostro and Malta*

246

Freller Thomas, *The Cavaliers Tour and Malta 1663*

Freller Thomas, *Knights, Corsairs, and slaves in Malta*

Freller Thomas, *The Rise and Fall of Abate Giuseppe Vella*

Galea Joseph, *Mdina the silent city*

Galea Joseph, *Guide to Gozo*

Galea Michael, *Grand Master Emmanuel de Rohan 1775-1797*

Galleja Maria, *Gozo*

Gallimard Flavigny Bertrand, *Les Chevaliers de Malte*

Gauci Charles, *The Genealogy and heraldry of noble families of Malta*

Gauci Gino, *Sacred art in Malta*

Godechot J., *Histoire de Malte*

Guilaine Jean, *La Mer partagée*

Hardman William, *History of Malta, French and British occupation 1798-1815*

Hugues Quentin, *The Buildings of Malta*

Hugues Quentin, *Fortress architecture and military history in Malta*

Hull Geoffrey, *The Malta language question*

Jenkins H.E., *Histoire de la marine française*

Johnson Shirley J., *Malte*

Jurien de la Gravière, *Les Chevaliers de Malte et la marine de Philippe II*

Kilin, *A maltese mosaic*

Kunsil lokali San Pawl il-Bahar, *San Pawl il-Bahar a guide*

Laferla Albert, *The Story of the man in Malta*

Mallia-Milanes Victor, *The British colonial experience 1800-1964*

Malta historical society, *Melita Historical* (vol. 3 et 4)

Manduca John, *Tourist guide to Malta and Gozo*

Marteilhe Jean, *Mémoires d'un galérien du Roi-Soleil*

Misfud Anton and Simon, *Malta Echoes of Plato's island*

Montalto John, *The Nobles of Malta 1530-1800*

Muscat Joseph, *The Birgu Galley Arsenal*

Muscat Joseph, *The Carrack of the Order*

Muscat Joseph, *Food and drinks on Maltese galleys*

Muscat Joseph, *The Gilded Feluca and Maltese boatbuilding techniques*

Muscat Joseph, *The Lateen Rigged Maltese brigantine*

Muscat Joseph, *Naval activities of the knights of St John*

Muscat Joseph, *Slaves on Maltese galleys*
Muscat Joseph, *The Xprunara*
Nantet Bernard, *Îles de Malte*
Pace Anthony, *Maltese Prehistoric Art 5000-2500*
Pavels Peder, *Malta 1796-1797 Thorvaldsen's visit*
Pernot Hubert, *Le Siège de Malte*
Petiet Claude, *Ces Messieurs de la Religion*
Plassman W., *Malte*
Ricci Franco Maria, *FMR n° 73, n° 76*
Ryan Frederick, *The House of the Temple*
Sammut Edward, *Caravagio in Malta*
Schiavone Michael, *Maltese Biographies of the twentieth century*
Scicluna Hannibal, *Buildings and fortifications of Valetta*
Scicluna Hannibal, *The Order of St. John of Jerusalem*
Serracino Inglott Mario, *The Three cities*
Serrou Henri, *L'Ordre militaire et hospitalier de Malte*
Sovrano Militare ordine ospedaliero, *Rivista International 1999*
Spiteri Stephen, *Fortresses of the Knights*
Tagliaferro John Samut, *Malte archéologie et histoire*
Testa Carmel, *The French in Malta 1798-1800*
Vassallo Carmello, *Corsairing to commerce. Maltese merchants*
Vella catherine, *The Maltese islands on the move*
Vertot Abbé, *Histoire des chevaliers hospitaliers de Saint-Jean de Jérusalem*
Villain-Gandossi, *Le carrefour maltais*
Wilmes Jacqueline, *Malte*
Wismes A. de, *Les Chevaliers de Malte*
Zammit Anthony, *Housing concepts in Maltese culture*
Zammit T., *Malta, the islands and their history*
Zysberg André, *Les Galériens*

TABLE

*Impression réalisée sur CAMERON
par BRODARD ET TAUPIN
La Flèche*

*pour le compte des Éditions du Rocher
en janvier 2006*

Dépôt légal : janvier 2006
N° d'impression : 33745

Imprimé en France